Management & Organisatie binnen de professionele juridische dienstverlening

Management & Organisatie binnen de professionele juridische dienstverlening

Een inleiding

Dr. R.C.H. van Otterlo
Dr. J.H. Dijkstra
m.m.v. drs. F. Lekanne Deprez (par. 6.10)

Boom Juridische uitgevers
Den Haag
2006

ISBN-10 90-5454-675-1
ISBN-13 978-90-5454-675-7
NUR 820
www.bju.nl

Inhoud

Voorwoord

Voor u ligt een inleiding betreffende management en organisatie in de professionele juridische dienstverlening. Deze inleiding is bedoeld voor studenten uit het hoger onderwijs die tijdens hun studie en ook later tijdens hun beroepsuitoefening te maken krijgen met managementvraagstukken binnen professionele juridische omgevingen, en voor juridische professionals binnen organisaties die meer kennis willen verwerven van de diverse management- en organisatieaspecten binnen de organisatie waar zij werkzaam zijn. Daarnaast is deze inleiding wellicht ook waardevol voor professionals uit andere disciplines die werkzaam zijn binnen het juridische werkveld (bijv. notarissen, interim-managers, organisatieadviseurs enz.). Ook voor bedrijfsjuristen van grote bedrijven kan deze inleiding interessant zijn.

Deze inleiding poogt op generlei wijze het gehele thema van management en organisatie binnen de juridische zakelijke dienstverlening te bestrijken. Dat zou welhaast onmogelijk zijn binnen het bestek van een eerste kennismaking voor belangstellenden met het onderwerp. Steeds wordt verwezen naar uitgebreidere relevante literatuur voor de geïnteresseerde lezer die een (deel)onderwerp diepgaander wil bestuderen.

Uitgangspunt van deze inleiding is dat het succes van professionele organisaties in hoge mate afhankelijk is van de kwaliteiten en prestaties van de professionals zelf. Met name in de Angelsaksische landen is om die reden een brede stroming ontstaan die zich laat samenvatten met de term Human Resource Management.[1] Het personeel wordt als menselijke hulpbronnen opgevat, die naast financiële en materiële hulpbronnen optimaal benut en waar mogelijk verder ontwikkeld moeten worden. Uiteraard besteden wij wel enige aandacht aan aspecten als financieel, marketing en operationeel management. Wij zullen ons daarbij beperken tot de kern van wat belangrijk is voor (aanstaande) managers in de professionele juridische dienstverleningsorganisaties.

De nadruk binnen deze inleiding op Human Resource Management als dominant managementthema is, hoewel arbitrair, ingegeven door de veronderstelling dat

1. Een goede samenvatting is te vinden bij C. Fombrun, N.M. Tichy en M.A. Devenna (eds.), Strategic Human Resource Management, New York: Wiley & Sons. Van recenter datum en behoorlijk compleet is D. Vloeberghs' Human Resource Management. Fundamenten en perspectieven. Op weg naar de intelligente organisatie, Tielt: Lannoo 2004.

management binnen organisaties van professionals vooral te maken heeft met de aansturing van die professionals. Immers: de kwaliteit van die mens bepaalt uiteindelijk de kwaliteit van dienstverlening en daarmee het succes van de desbetreffende organisatie. Vanuit die redenering dichten wij Human Resource Management een centrale rol toe. Investeren in de wijze waarop met de human resources wordt omgegaan lijkt een belangrijke stap in het proces van verdere professionalisering van de juridische dienstverlening. In elk geval voor middelgrote en grote kantoren en organisaties binnen de juridische dienstverlening lijkt een verscherpte aandacht voor de professionele ontwikkeling van de bij hen werkzame professionals (human resources) onafwendbaar en noodzakelijk voor groei en continuïteit op de lange termijn.[2]

Den Haag/Dordrecht, januari 2006
Rob van Otterlo en Jelle Dijkstra

2. R.C.H. van Otterlo, H.K.J.M. de Sonnaville en P.G.W. Jansen, Komt het einde van de zelfstandig gevestigde advocaat in zicht?, Advocatenblad 2002, 19.

1 Inleiding

De eerste vraag die zich meteen al aandient, is de vraag of er wel zoiets bestaat als management en organisatie in de professionele juridische dienstverlening. Volstaat niet een 'Inleiding in management en organisatie'? Zijn er überhaupt wel specifieke aspecten van organisaties van (juridische) professionals die een aparte behandeling van management en organisatie in de professionele juridische dienstverlening rechtvaardigen? Zonder nu direct in dit boek alle aspecten van management te behandelen – voorzover dat al mogelijk zou zijn – inclusief 'management van professionals', waar het in de rechtspraktijk immers in feite over gaat, zijn de uitgangspunten van dit boek de volgende:

- Het managen van professionals in de juridische dienstverlening is iets wezenlijk anders dan het managen van werknemers in het algemeen.
- De juridische dienstverlening laat diverse organisatievormen zien die specifieke vormen van management noodzakelijk maken, namelijk organisaties van professionals en professionele organisaties (het onderscheid komt verderop nog uitgebreid aan de orde).

Onder juridische dienstverlening verstaan wij in dit verband: advocatuur, rechterlijke macht, Openbaar Ministerie en notariaat. Dit boek beperkt zich om praktische redenen hoofdzakelijk tot de advocatuur omdat het specifieke karakter van de professionele juridische dienstverlening daar het meest pregnant zichtbaar wordt.

1.1 Het advocatenberoep als professie

Op basis van literatuur[3] kunnen de volgende kenmerken worden genoemd die professies onderscheiden van 'gewone' beroepen:

- Werken vanuit een 'body of knowledge', een afgebakend geheel van kennis en inzichten op een bepaald vakgebied.
- Diensten verlenen aan cliënten vanuit wat Halmos (1967) 'een persoonlijke service-ideologie' heeft genoemd.[4]
- Het alleenrecht om bepaalde diensten te verlenen en bepaalde activiteiten uit te voeren (liefst gecombineerd met een wettelijke verplichting om in bepaalde situaties van diensten van de beroepsgroep gebruik te maken: bijv. een medische keuring bij een keuringsarts om voor een arbeidsongeschiktheidsverzekering in aanmerking te komen).

---

3. T. Parsons, The Professions and Social Structure. Social Forces 1939, 17, nr. 4, p. 457-467. H.L. Wilensky, The professionalization of everyone?, American Journal of Sociology 1964, 70, p. 137-155. A.L. Mok, Beroepen in actie; bijdrage tot een beroepensociologie, Boom: Meppel 1973.
4. P. Halmos, Personal service society, British Journal of Sociology 1967, 18, p. 13-28.

- De aanwezigheid van specifieke beroepsopleidingen, eventueel in aansluiting op algemene basisopleidingen (vergelijk bijv. de huisartsenopleiding na de medische studie).
- Sterke oriëntatie van beroepsbeoefenaren op de eigen beroepsgemeenschap; het zoeken naar 'peers', toppers die zich in het beroep onderscheiden hebben en over bijzondere kwaliteiten beschikken (een voorbeeld is het instellen van mentoraten en expert panels).
- Het reguleren van de eigen activiteiten door middel van een aantal voorschriften over hoe te handelen, meestal in de vorm van een beroepscode.
- Een beroepsorganisatie die de toegang tot het beroep reguleert.
- Beroepsgeheim: het waarborgen van de privacy van cliënten door geen informatie aan derden beschikbaar te stellen (ook wel aangeduid als principe van vertrouwelijkheid).
- Autonomie van de individuele beroepsuitoefenaar bij het maken van keuzes, bijvoorbeeld over welke cliënten worden behandeld en welke soort behandeling wordt uitgevoerd.
- Regels, procedures en systemen waarmee de kwaliteit van het werk worden bewaakt en zo nodig verbeterd (kwaliteitsborging).

Met name de laatste twee kenmerken raken de thematiek van deze inleiding in hoge mate. Hoeveel autonomie hebben professionals nodig? Hoe wordt de kwaliteit van het professionele handelen gewaarborgd?

Management betekent het aansturen van mensen om een gemeenschappelijk doel te bereiken. Hoe verhoudt dit zich tot de noodzaak maximale autonomie toe te staan aan professionals? Is kwaliteit van dienstverlening primair het domein van de professionals zelf (bijv. via beroepsorganisatie en beroepscode) of heeft ook het management hierbij een taak?

Een vraag die specifiek beantwoord moet worden is of de context van invloed is op de mate van autonomie die aan professionals moet worden toegestaan en de eisen die aan het management gesteld worden. Naarmate het zelfregulerend vermogen van de professionele groep hoger is, kan het niveau van aansturing lager zijn. In zo'n geval is het voldoende de organisatorische randvoorwaarden voor het werk te scheppen en strategische keuzen, het bepalen van prioriteiten en de organisatie van het werk in hoge mate aan de professionals over te laten.

1.2 De rechtspraktijk

Binnen de rechtspraktijk is een belangrijk onderscheid te maken tussen advocatuur en rechterlijke macht en Openbaar Ministerie (OM). De rechterlijke macht, ofschoon een onafhankelijke macht (trias politica), is ambtelijk georganiseerd. De rechterlijke macht valt organisatorisch onder de Raad voor de rechtspraak. Het OM wordt aangestuurd door het parket generaal en is eveneens ambtelijk georganiseerd. De advocatuur daarentegen is privaat georganiseerd. Advocaten zijn weliswaar (verplicht) aangesloten bij de Nederlandse Orde van Advocaten, maar in essentie zijn zij vrije ondernemers, dan wel werknemers van private ondernemingen met winstdoelstellingen en veelal daaraan gerelateerde individuele *targets*.[5]

1.3 Organisaties in de rechtspraktijk: de advocatuur

De advocatuur, ook wel aangeduid als de balie, kent rond de 13.000 leden, verdeeld over circa drieduizend kantoren.[6] Hiermee is de advocatuur veruit de grootste speler binnen de rechtspraktijk. Bij de top-30 kantoren werken ongeveer 3500 advocaten, terwijl nog circa duizend advocaten eenpitter zijn, waarmee eenmanskantoren in absolute zin nog steeds het grootste aantal kantoren vormen.[7] Vooral het laatste decennium is de balie enorm gegroeid, onder andere als gevolg van de toenemende vraag, vooral uit het bedrijfsleven en de overheid, naar specialistische juridische dienstverlening en -advisering. De balie is een bijzonder heterogene groep van juridische professionals. Specialistische zowel als generalistische kantoren, kleine, middelgrote en grote kantoren die regionaal, nationaal en internationaal opereren komen voor. Zowel proces-, advies- en gemengde praktijken, gericht op particuliere en commerciële markten, als praktijken gericht op de gefinancierde rechtshulp aan particulieren zijn aangesloten bij de balie. Zowel qua vorm als qua inhoud kenmerkt de balie zich door een hoge mate van differentiatie. Die differentiatie geldt ook voor de tarieven die gerekend worden voor de dienstverlening, lopend van circa € 95 per uur voor toevoegingen in de gefinancierde rechtshulp aan particulieren tot soms wel € 500 per uur bij de commerciële praktijken in de businessmarkt. Binnen de balie is in feite sprake van een driedeling wat betreft de wijze waarop de kantoren georganiseerd zijn: kleine, regionale algemene praktijken, grotere, landelijk opererende zeer gespecialiseerde praktijken en de zogenoemde *full service*-kantoren, nationaal en internationaal opererend.[8]

Toenemende specialisatie en commercialisering hebben de advocatuur het laatste decennium ingrijpend veranderd. Door commercialisering en vrijemarktwerking is een grotere mate van concurrentie ontstaan. Tevens zou je kunnen zeggen dat ook de advocatuur, net als de meeste andere professies, ontsokkeld is. Er is geen sprake meer van een gesloten beroepsgroep waarin het moeilijk binnenkomen is. Iedereen die over de juiste (voor)opleiding beschikt kan advocaat worden. In feite is hiermee sprake van een democratiseringsproces. Alleen opleidingseisen bepalen nog of men tot de advocatuur kan worden toegelaten.

5. Dit fenomeen is volgens Kaptein (2003: 150) principieel onjuist. In zijn optiek zouden advocaten rechterlijk ambtenaren moeten zijn en niet vrije ondernemers om te vermijden dat zij in de verleiding komen financieel eigen belang te laten prevaleren boven het belang van de cliënt.
6. Zie o.a. de stand van de advocatuur in Nederland 2004, KSU, 2004.
7. Idem, p. 13.
8. H.A.J. van Oostrum, Toevallige weetbaarheden. Een onderzoek naar integriteitsbewaking in advocatenkantoren, Den Haag: Boom Juridische uitgevers 2002.

1.4 BEROEPSORGANISATIE

Zoals elke zichzelf respecterende professie kent ook de advocatuur een eigen beroepsorganisatie, de Nederlandse Orde van Advocaten, ofwel de Orde. De Orde zetelt te Den Haag en is een publiekrechtelijke bedrijfsorganisatie (PBO), dat wil zeggen dat zij zelfregulerend is, zij het dat zij wel gecontroleerd wordt door het ministerie van Justitie. De Orde kan wel beschouwd worden als 'overheid in advocatenland'. De Orde vaardigt reglementen, verordeningen, richtlijnen en gedragsregels uit ten behoeve van haar leden, de advocaten. Alle Nederlandse advocaten zijn verplicht aangesloten bij de Orde en zijn onderhavig aan gedrags- en tuchtrecht zoals opgetekend in de Advocatenwet.[9] De Advocatenwet bestaat sinds 1952, en daarmee ook de Orde. De Orde is democratisch gemodelleerd, met een College van Afgevaardigden met 75 leden – te beschouwen als een parlement –, een Algemene Raad, met zeven tot negen advocaatleden (portefeuilles) en voorgezeten door de Deken van de Nederlandse Orde van Advocaten. De Algemene Raad kan wel beschouwd worden als de regering, waarbij de Deken minister-president is en de leden (vak)ministers zijn. Het ambtelijk apparaat, ofwel de uitvoerders van het beleid zoals dat geformuleerd wordt door de Algemene Raad, wordt gevormd door het Bureau van de Orde, dat onder leiding staat van de Algemeen Secretaris.

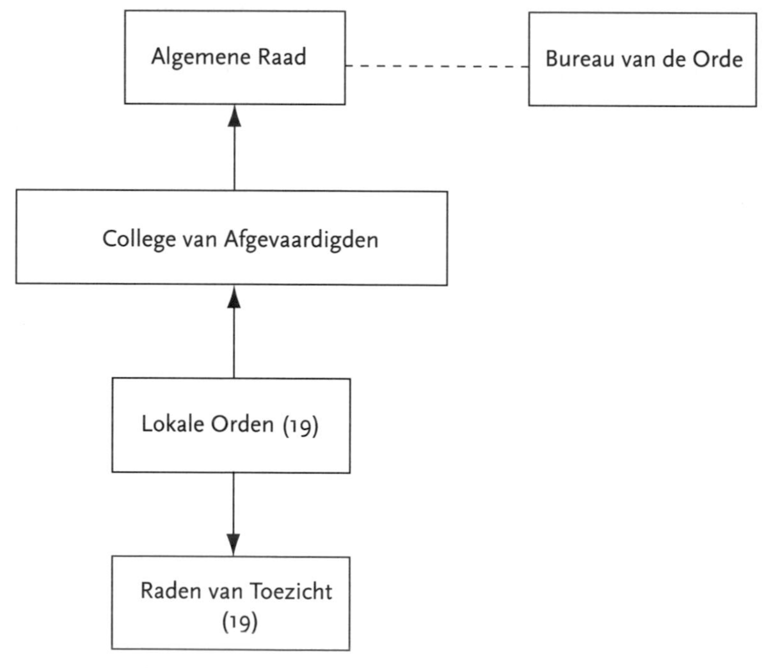

Figuur 1. Orde-structuur

9. Vademecum Advocatuur. Deel II, Wet- & regelgeving.

De kernactiviteiten van de Orde zijn gericht op enerzijds wet- en regelgeving en anderzijds op de wettelijk verankerde beroepsopleiding, stage en permanente opleiding. Naast de landelijke Orde kennen de negentien verschillende arrondissementen in Nederland elk een eigen Orde van Advocaten met een eigen bestuur, en daarnaast een Raad van Toezicht, voorgezeten door een deken. De Raden van Toezicht kiezen de leden die zitting hebben in het landelijke College van Afgevaardigden. (zie figuur 1 op p. 12 voor de Orde-structuur)

Sinds enkele jaren is er een spanningsveld waar te nemen tussen een toenemend streven van de overheid om haar toezicht en controle op publiekrechtelijke lichamen zoals de Orde te versterken en de pogingen van dergelijke PBO's om hun eigen zelfstandigheid te handhaven. Het gaat de Orde vooral om het veiligstellen van de bij haar zelfstandigheid en status behorende prerogatieven, binnen de Orde ook wel aangeduid als de 'kroonjuwelen'. Die kroonjuwelen van de advocatuur zijn: onafhankelijkheid, beroepsgeheim, verschoningsrecht en procesmonopolie.

In de eerste plaats is de advocaat onafhankelijk, dat wil zeggen dat hij onafhankelijk is van andere machten in de Staat en onafhankelijk van anderen in de zin dat hij zijn beroepshandelen in vrijheid en naar eigen geweten moet kunnen bepalen. Onafhankelijkheid van de Staat is volgens Quant een absolute noodzaak om als advocaat adequaat te kunnen functioneren, waarbij zelfregulering, de functie van de Orde, een belangrijk aspect is van die onafhankelijkheid.[10] 'Een advocatuur die op een of andere wijze gecontroleerd of wezenlijk beïnvloed wordt door de overheid, kan niet burgers, bedrijven of instellingen gelijke wapenen tegen die overheid verschaffen en kan de haar toegemeten rol in de rechtsstaat niet vervullen.' Anderen in het kader van die onafhankelijkheid zijn cliënten, rechters en overige ambtsdragers.

De geheimhoudingsplicht (confidentialiteit) is een voorrecht van de advocaat dat uit hoofde van zijn beroep onomstreden is. De aard van het beroep van advocaat brengt mee dat hij zich moet kunnen beroepen op geheimhouding. Niet iedereen vindt die geheimhouding een noodzakelijk en vanzelfsprekend recht voor de advocaat. De rechtsfilosoof Kaptein vindt onvoorwaardelijke confidentialiteit zelfs gevaarlijk in het licht van het in zijn ogen gebrekkig zelfregulerend vermogen van de balie.[11]

Het procesmonopolie van de advocaat is niet absoluut. Bij kantongerechtprocedures en in het bestuursrecht is geen procesvertegenwoordiging verplicht gesteld (Quant, 2003: 15). Voor alle andere gerechtelijke procedures geldt dat gedaagden bijgestaan dienen te worden door een advocaat.

---

10. L.H.A.J.M. Quant, De onafhankelijke advocaat, in: Introductie in de advocatuur, Nederlandse Orde van Advocaten, Beroepsopleiding advocatuur, Den Haag: Boom Juridische uitgevers 2003, p. 14-16.
11. H.J.R. Kaptein, Rechten, plichten en deugdelijke juristen. Professionele ethiek als principieel rolbewustzijn. In: Cliteur, P.B. en Napel, H-M.Th.D. ten (red.), Rechten, plichten, deugden, Nijmegen: Ars Aequi Libri 2003, p. 141-152.

Het moge duidelijk zijn dat de advocatuur grote waarde hecht aan haar kroonjuwelen. Toch staan die kroonjuwelen steeds meer onder druk, onder andere vanuit de overheid. De overheid tracht door middel van diverse wetgeving ook de advocatuur te dwingen bepaalde informatie aan haar te geven. Een goed voorbeeld daarvan is de Wet MOT, ofwel de Wet melding ongebruikelijke transacties, die advocaten dwingt melding te maken van financiële transacties waarvan een vermoeden kan bestaan dat zij illegaal zijn. Een dergelijke wet druist uiteraard in tegen het onafhankelijkheidsprincipe en het beroepsgeheim. Kortom, de advocatuurlijke prerogatieven staan onder druk en de advocatuur staat in de toekomst voor interessante uitdagingen waarvoor zij creatieve oplossingen zal moeten bedenken wil zij die prerogatieven kunnen behouden.

1.5 ORGANISATIE-INRICHTING

De meeste advocatenkantoren, klein, middelgroot of groot, zijn min of meer op dezelfde wijze ingericht. In feite kent men alleen professionals, of *fee earners*, en ondersteunend personeel. De fee earners zijn allen advocaat. Het ondersteunende personeel varieert van administratieve krachten en secretaressen tot personeelsfunctionarissen en andere stafmedewerkers. De advocaten vallen veelal in de categorieën stagiaire, (senior)medewerker, (salary) partner (maat) en (maatschaps)bestuurder. In beginsel willen de meeste jonge advocaten uiteindelijk partner worden omdat zij daarmee in hoge mate financieel meeprofiteren van de winstgevendheid van het kantoor. Deze structuur is vrij piramidaal van opzet (zie figuur 2). Om die reden kunnen lang niet alle medewerkers doorgroeien naar partnerniveau.

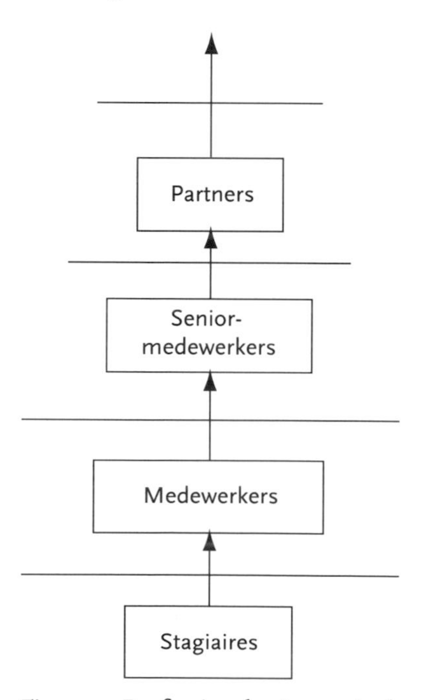

Figuur 2. Professionele niveaus in de advocatuur

Figuur 2 suggereert dat er meer stagiaires zijn op enig moment dan medewerkers. Dit hoeft niet het geval te zijn en is dat ook zeker niet bij middelgrote en grote kantoren.

1.6 Organisaties van professionals en professionele organisaties

Het begrip 'organisaties van professionals' is welhaast een *contradictio in terminis*. Immers, een essentieel kenmerk van professionals is nu juist dat zij veelal op individuele basis hoogwaardige diensten (kennisproducten) leveren aan klanten, waarbij de relaties met de klanten en met *peers* van grotere betekenis zijn dan de relatie met de eigen organisatie. De betekenis van de organisatie voor de professional moet gezocht worden in de meerwaarde, zowel inhoudelijk als financieel, die efficiency van ondersteuning in een georganiseerd verband oplevert ten opzichte van het geheel of nagenoeg ontbreken daarvan bij de in zelfstandig verband opererende professional. Strikt genomen heeft de professional, anders dan veel andere werkers, geen organisatie nodig voor de uitoefening van zijn professie. Immers, een advocaat kan bijvoorbeeld werken als eenpitter die zijn eigen administratie verzorgt, zijn eigen agenda bijhoudt en zelf bepaalt hoeveel werk hij of zij wil aannemen. Toch wordt ondersteuning vanuit een goede organisatie voor professionals steeds belangrijker als gevolg van:

1. Toenemende complexiteit van zakelijke dienstverlening (commercialisering, informatisering en specialisatie).
2. Toenemende kwaliteitseisen die aan hen gesteld worden, zowel vanuit de cliënt (particulier en zakelijk) redenerend als vanuit de overheid (algemeen belang) en zelfs de eigen beroepsorganisatie (algemeen belang – de Nederlandse Orde van Advocaten is immers een PBO) redenerend. In dit verband is het de vraag of met de steeds zwaardere kwaliteitseisen die aan professionals gesteld worden de zelfstandig gevestigde professional in de westerse samenlevingen nog wel toekomst heeft.[12] Met andere woorden: was het begrip 'organisatie van professionals' voorheen wellicht een *contradictio in terminis*, tegenwoordig en zeker in de toekomst is het fenomeen 'organisatie' voor professionals eerder een *conditio sine qua non*.

Organisaties van professionals kunnen onderscheiden worden in twee categorieën, al naar gelang de aard van de professionals en de aard van de dienstverlening, te weten:

1. *organisaties van professionals* en
2. *professionele organisaties.*

Voor *organisaties van professionals* blijven de professionele uitgangspunten betreffende klantgerichtheid, kwaliteit en persoonlijke ontwikkeling leidraad voor het handelen, en gaat professie vóór commercie; *professionele organisaties* daarentegen ontwik-

12. Zie in dit verband o.a. R.C.H. van Otterlo, H.K.J.M. de Sonnaville en P.G.W. Jansen, Komt het einde van de zelfstandig gevestigde advocaat in zicht?, Advocatenblad 2002, 19.

kelen zich tot professionele, bureaucratische ondernemingen waarin naast professionele belangen ook commerciële doelstellingen gerealiseerd moeten worden.[13] Deze verschillende typen organisaties herbergen doorgaans verschillende typen professionals. Voor de *organisatie van professionals* zijn dat veelal *innovative pofessionals*, ofwel I-profs, en voor de *professionele organisaties* zijn dat veelal *repetitive professionals*, ofwel R-profs.[14] I-profs zoeken steeds naar unieke oplossingen voor problemen, terwijl R-profs bij de aanpak van problemen streven naar vereenvoudiging die kan leiden tot routinematige aanpak en standaardisatie van oplossingen. Binnen de advocatuur, de rechterlijke macht en het Openbaar Ministerie komen beide typen voor, terwijl het notariaat waarschijnlijk veelal bestaat uit R-profs. Wel dient men zich te realiseren dat ook voor wat betreft de advocatuur geldt dat waarschijnlijk veruit de meeste professionals in die beroepsgroep tot de categorie R-profs behoort. Het merendeel van de zaken, of het nu familierecht, arbeidsrecht, mergers en aquisitions, enzovoort betreft, is in hoge mate gelijksoortig qua inhoud. Dit geldt overigens niet voor de wijze waarop door die professionals met cliënten wordt omgegaan want daarin is een hoge mate van inlevingsvermogen en creativiteit vereist die doorgaans niet bij R-profs wordt aangetroffen. Binnen de advocatuur zal men met name I-profs aantreffen in cassatiezaken, ingewikkelde strafzaken, intellectuele eigendom, belastingrecht, enzovoort. Ook voor de advocatuur als geheel geldt dat die in hoge mate bevolkt wordt door R-profs. In de tabellen 1 tot en met 8 staan de twee organisatietypen met de daarbijbehorende kenmerken tegenover elkaar.

Tabel 1. *Organisatie van professionals* versus *professionele organisatie: missie/visie*[15]

	Organisatie van professionals	**Professionele organisatie**
Missie/visie	Bijdragen willen leveren aan de maatschappij: *mission driven* Gedeelde waarden en normen Visionair/kennisgericht Legitimatie gebaseerd op aanwezige kennis en persoonlijke reputatie van de professionals en het vakgebied/de professie *License to operate:* gilde/beroepsvereniging	Het behalen van een financieel rendement: *money driven* Strategische stellingname vanuit de top Pragmatisch/klantgericht Legitimatie gebaseerd op marktaandeel (commercie) en in de praktijk bewezen gestandaardiseerde oplossingen *License to operate:* open marktsysteem en cliënten

13. Van Otterlo/De Sonnaville/Jansen 2002, p. 849.
14. Zie o.a. M. Weggeman, Kennismanagement, inrichting en besturing van kennisintensieve organisaties, Management Consultant 1997, 3 en M. Weggeman, Leidinggeven aan professionals 1992.
15. R.C.H. van Otterlo, H.K.J.M. de Sonnaville en P.G.W. Jansen, Komt het einde van de zelfstandig gevestigde advocaat in zicht?, Advocatenblad 2002, 19, p. 850.

Tabel 2. *Organisatie van professionals* versus *professionele organisatie: strategie*[16]

	Organisatie van professionals	**Professionele organisatie**
Strategie	*Inside-out:* langere termijn Marketing door middel van reputatie professionals en kantoor, mond-tot-mondreclame: 'de vent is belangrijker dan de tent' Specialisatieconcept	*Outside-in:* korte termijn Marketing door middel van brochures, nieuwsbrieven en reputatie kantoor: 'de tent is belangrijker dan de vent' Full service-concept

Tabel 3. *Organisatie van professionals* versus *professionele organisatie: structuur*[17]

	Organisatie van professionals	**Professionele organisatie**
Structuur	Maatschap bestuurd door een uit collega's bestaand bestuur Netwerkorganisatie met een platte structuur Solitair, persoonsgebonden werken	BV/NV, bestuurd door een Raad van Bestuur, dat vooral uit ondernemers bestaat Functionele, hiërarchische structuur Gezamenlijk, methodisch werken

Tabel 4. *Organisatie van professionals* versus *professionele organisatie: managementstijl*[18]

	Organisatie van professionals	**Professionele organisatie**
Managementstijl	Participatief, gericht op consensus besluitvorming Sturen op kwalitatieve resultaten Machtsmiddel: sociale druk	Directief, gericht op hiërarchische besluitvorming Sturen op kwantitatieve resultaten (*bottom line*) Machtsmiddel: gezag

16. Idem.
17. Idem.
18. Idem.

Tabel 5. *Organisatie van professionals* versus *professionele organisatie: cultuur*[19]

	Organisatie van professionals	Professionele organisatie
Cultuur	Academische, elitaire cultuur: publicaties, collegiale debatten enz.	Zakelijke cultuur: leverage* denken, marktaandeel

* Leverage betekent in de praktijk dat voor de diensten van medewerkers een relatief hoog uurtarief aan de klant wordt doorberekend. De partner haalt de opdracht binnen, maar de uitvoering vindt plaats door medewerkers die minder kosten, maar wier diensten voor een hoog tarief aan de klant worden doorberekend. Dit leverage-systeem wordt ook toegepast in consultancy.

Tabel 6. *Organisatie van professionals* versus *professionele organisatie: systemen*[20]

	Organisatie van professionals	Professionele organisatie
Systemen	Onduidelijke en ongrijpbare regels en systemen: 'rules are enacted' en 'loosely coupled systems'	Vastomlijnde regels en uniforme IT-systemen, gericht op 'planning & control'

Tabel 7. *Organisatie van professionals* versus *professionele organisatie: personeel*[21]

	Organisatie van professionals	Professionele organisatie
Personeel	Werving en selectie zeer subjectief Professionals hebben een beroep en dat bepaalt hun levensstijl: I-profs Promotie: 'in and out'	Werving en selectie met nadruk op contactuele vaardigheden Professionals hebben een baan en dat is een middel van bestaan: R-profs Promotie: 'up/perform or out'

19. R.C.H. van Otterlo, H.K.J.M. de Sonnaville en P.G.W. Jansen, Komt het einde van de zelfstandig gevestigde advocaat in zicht?, Advocatenblad 2002, 19, p. 850.
20. Idem.
21. Idem.

Tabel 8. *Organisatie van professionals* versus *professionele organisatie: ontwikkelen en professionaliseren*[22]

	Organisatie van professionals	**Professionele organisatie**
Ontwikkelen en professionaliseren	Incrementele veranderingen: evolutie Revitaliseren Kennis- en vakontwikkeling Professionaliseren door middel van persoonlijk ontwikkelplan (maatwerk)	Discontinue veranderingen: revolutie Innoveren Productontwikkeling Management-developmentprogramma (confectie)

Door toenemende commercialisering en internationalisering in de advocatuur en toenemende efficiencyverbeteringen bij OM en rechterlijke macht lijkt het aannemelijk dat professionals in de rechtspraktijk meer en meer opschuiven naar de rechterkolom uit tabel 1, dat wil zeggen dat deze professionals in toenemende mate georganiseerd worden conform het model van een *professionele organisatie*.
Weliswaar geldt dat I- en R-profs binnen de advocatuur voorkomen binnen zowel kleine als middelgrote en grote kantoren. Er zal toch een verschuiving plaatsvinden van het I- naar het R-profiel. De I-prof van de toekomst zal alleen overleven als hij of zij zich aansluit bij collega's uit de eigen discipline of eventueel van andere disciplines en uit de samenwerking voldoende synergie haalt om ten opzichte van de full service-bureaus overeind te blijven. Een andere optie is zich vergaand te specialiseren en op grond van het specialisme met name voor I-achtige opdrachten te worden gevraagd.

1.7 De ontwikkeling van de professional

Professionals worden nog steeds belangrijker voor westerse economieën. In 2003 waren in de vijftien landen van de oude Europese Unie niet-commerciële dienstverlening en financiële en zakelijke dienstverlening samen goed voor gemiddeld circa vijftig procent van het Bruto Binnenlands Product van die landen.[23] Hoewel dit cijfer met de komst van de tien nieuwe leden van de EU in 2005 lager is geworden, geeft het de betekenis van dienstverlening en daarmee van de professionals die die dienstverlening voor een groot deel verzorgen wel aan. Professionals zijn zowel op micro-economisch als op macro-economisch niveau van groot belang. Ontwikkeling van die professionals is daarmee van cruciaal belang voor de steeds verdere kwaliteitsverbetering van diensten. Veel aandacht wordt derhalve besteed aan de

22. Idem.
23. Bron: Centraal Bureau voor de Statistiek. Het jaar in cijfers 2003.

opleiding en ontwikkeling van professionals in de praktijk. Dit geldt ook voor de rechtspraktijk. Na een academische vooropleiding moeten de toekomstige advocaten, officieren van justitie en rechters nog aanvullende praktijkopleidingen volgen voordat zij geheel zelfstandig hun professie kunnen uitoefenen. Voor advocaten geldt dat zij een driejarige stage moeten volgen incluis een beroepsopleiding. Rechters en officieren van justitie kennen stage- en opleidingsduren van zes jaar. Dit alles na een juridische masteropleiding aan de universiteit.

Naast verdieping van kennis zullen professionals in die eerste fase van hun carrière vooral competenties of bekwaamheden[24] moeten ontwikkelen die hen in staat stellen om hun professie zelfstandig en naar behoren uit te oefenen. Het ontwikkelen van competenties is van belang omdat het die competenties zijn die het niveau van de professionaliteit van de juridische dienstverlener bepalen. Een advocaat is niet alleen maar een juridisch dienstverlener die beschikt over specialistische juridische kennis (bijv. van wet- en regelgeving en jurisprudentie) die hem of haar in staat stelt specifieke juridische problemen van cliënten te begrijpen en op te lossen. Hij of zij dient ook te beschikken over een arsenaal aan vaardigheidscompetenties[25] waarmee hij de relatie met de cliënt, de samenwerking met collega's, enzovoort effectief kan managen. In de tabellen 9 tot en met 19 zijn de competenties, inclusief hun operationaliseringen, weergegeven zoals die gelden voor de advocatuur.[26]

Tabel 9. Competenties: analytisch vermogen

Analytisch vermogen
Hoofd- en bijzaken onderscheiden; een vraagstelling in onderdelen uitsplitsen en logische verbanden leggen tussen de verschillende deelaspecten
Analyseert problemen vanuit verschillende invalshoeken
Analyseert gemakkelijk complexe informatie
Ziet hoe verschillende aspecten met elkaar in verband staan
Doorziet langeretermijnconsequenties van beslissingen
Signaleert ontbrekende informatie op basis van inzicht en ervaring
Dringt tot de kern van de zaak door

24. Onder competentie of bekwaamheid wordt in dit verband verstaan 'een geïntegreerd, onderling samenhangend geheel van kennis, vaardigheden, attitudes en leervermogen, waaraan adequate persoonlijke leer- en werktheorieën ten grondslag liggen en waarmee iemand in bepaalde situaties en bepaalde socio-culturele contexten bekwaam kan oordelen, kan anticiperen op bepaalde gebeurtenissen of ontwikkelingen en effectief kan handelen en leren'. Joseph W.M. Kessels en Rob F. Poell (red.), Human resource development. Organiseren van het leren, Groningen: Samsom 2001, p. 58.
25. De competentielabel 'Cliëntgerichtheid' is strikt genomen geen vaardigheids- maar een houdingscompetentie. De concrete gedragsomschrijvingen in tabel 13 laten zien dat het label toch verwijst naar een vaardigheid, in dit geval het vermogen om goed met cliënten om te kunnen gaan.
26. Ontwikkeld en samengesteld in 2002 door de Nederlandse Orde van Advocaten in samenwerking met LTP te Amsterdam, die eveneens betrokken zijn geweest bij de ontwikkeling van de competentiemodellen voor de rechterlijke macht. Zie ook: www.advocatenorde.nl.

Tabel 10. Competenties: oordeelsvorming

Oordeelsvorming
Op basis van informatie en analyse van een gegeven situatie tot een weloverwogen oordeel komen
Vormt op onafhankelijke wijze zijn oordeel in het belang van de cliënt
Weegt ook de belangen van de wederpartij mee in de uiteindelijke, in het belang van de cliënt, te voeren strategie
Is kritisch in oordeelsvorming
Maakt een afweging op basis van alle factoren in het krachtenveld
Weet in complexe situaties een oordeel te vormen
Is in staat om een objectief advies te geven aan de cliënt

Tabel 11. Competenties: plannen

Plannen
Een tijdpad of prioriteitstelling maken voor eigen werk of dat van anderen
Gaat effectief om met tijd, delegeert waar mogelijk
Plant werkzaamheden systematisch en ordelijk
Weet complexe zaken te vertalen in een plan van aanpak
Stelt heldere prioriteiten, ook bij onverwachte verzoeken van cliënten
Zorgt dat deadlines voor het aanleveren van stukken gehaald worden
Komt afspraken na

Tabel 12. Competenties: snelheid van begrip

Snelheid van begrip
Nieuwe informatie of gebeurtenissen snel kunnen bevatten; zich vlot kunnen oriënteren in een onbekende omgeving
Verwerkt en doorziet snel nieuwe feiten en gegevens in een veranderende situatie
Maakt zich nieuwe kennis snel eigen
Verwerkt veel informatie tegelijkertijd
Heeft direct in de gaten wat de relevante kenmerken zijn in een (nieuwe) zaak
Weet snel tot de kern van een zaak door te dringen

Tabel 13. Competenties: cliëntgerichtheid

Cliëntgerichtheid
In het denken en handelen de cliënt centraal stellen
Verdiept zich in de cliënt en zijn omstandigheden (kent de actualiteiten en de markt)
Past de uitgebreidheid van het advies aan de behoeften van de cliënt aan
Stemt (mondeling en schriftelijk) taalgebruik af op de cliënt
Geeft (ook niet-juridische) alternatieven voor een probleem
Neemt initiatieven in het belang van de cliënt
Is goed bereikbaar (o.a. telefoon/mail)

Tabel 14. Competenties: inlevingsvermogen

Inlevingsvermogen
Zich in de belevingswereld van anderen verplaatsen. Het eigen gedrag afstemmen op de gevoelens van anderen. Sensitiviteit
Toont begrip en medeleven
Laat anderen in hun waarde
Luistert aandachtig en actief
Houdt rekening met de gevoelens van anderen
Speelt in op de emoties van anderen en beïnvloedt de sfeer
Stelt vragen om de belevingswereld van de cliënt te begrijpen

Tabel 15. Competenties: relatiebeheer extern

Relatiebeheer extern
Persoonlijke relaties opbouwen en onderhouden met cliënten en andere contactpersonen
Onderhoudt actief het contact met bestaande cliënten
Brengt nieuwe relaties tot stand
Legt gemakkelijk contact met onbekenden

Tabel 16. Competenties: relatiebeheer intern

Relatiebeheer intern
Persoonlijke relaties opbouwen en onderhouden met cliënten en andere contactpersonen
Draagt bij aan het onderhouden van werkrelaties Weet met collega's een goede samenwerking te creëren Weet de sfeer op het kantoor positief te beïnvloeden Onderhoudt actief het contact met collega's

Tabel 17. Competenties: organisatiesensitiviteit

Organisatiesensitiviteit
Gevoel hebben voor interne verhoudingen. Gemakkelijk (nieuwe) contacten leggen in de organisatie
Beweegt zich gemakkelijk op verschillende hiërarchische niveaus Beweegt zich gemakkelijk in uiteenlopende afdelingsculturen binnen de organisatie Voelt goed aan welke machtsverhoudingen van belang zijn en stemt het eigen handelen daarop af Opereert tactvol binnen bestaande samenwerkingsverbanden Vindt gemakkelijk aansluiting bij uiteenlopende partijen in de organisatie

Tabel 18. Competenties: overtuigingskracht

Overtuigingskracht
Op basis van persoonlijk overwicht invloed uitoefenen op mensen en situaties. Ideeën duidelijk en stellig communiceren, gericht op acceptatie. Weerstanden overwinnen
Weet zijn standpunten gerespecteerd te krijgen Communiceert helder en stellig Bouwt betogen helder en logisch op Zet door bij tegenstand Laat zich niet van zijn stuk brengen Overwint weerstand Toont deskundigheid en wekt op basis daarvan vertrouwen

Tabel 19. Competenties: stressbestendigheid

Stressbestendigheid
Effectief blijven werken onder grote druk, bij tegenslag en/of in een hectische omgeving
Relativeert in stressvolle situaties
Stelt prioriteiten in stressvolle situaties
Presteert optimaal onder tijdsdruk
Houdt het hoofd koel bij tegenslag en geeft niet op
Kent eigen grenzen en bewaakt deze
Blijft onder tijdsdruk beschikbaar voor kantoorgenoten

Het gaat er bij de verdere professionalisering van de juridische dienstverlening om de vaardigheidscompetenties te ontwikkelen die voor het leveren van hoogwaardige professionele diensten van belang zijn. Zoals gezegd zijn afgestudeerden van hogere opleidingen nog niet meteen ook professionals. Professionals ontwikkelen zich in vier (gedrags)fasen die bestaan uit een combinatie van opleiding, werkervaring en attitude- en gedragsvorming. De vier fasen zijn door Flikkema en Van Otterlo beschreven als respectievelijk *imitatiefase*, *exploratiefase*, *creatiefase* en *inspiratiefase*[27] (zie figuur 3).

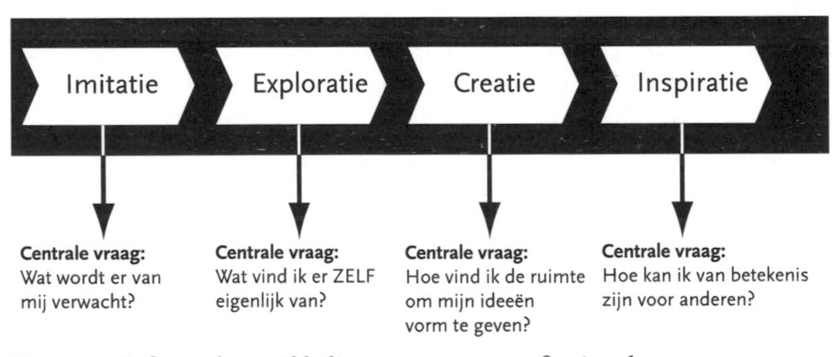

Figuur 3. Gefaseerd ontwikkelingsproces van professionals

In de imitatiefase (wat wordt er van mij verwacht?) tracht de jonge professional vooral aan boord te blijven en meent dat te kunnen realiseren door gedrag van oudere, meer ervaren professionals binnen de organisatie te kopiëren. In de volgende casus wordt deze *imitatiefase* beschreven.[28]

27. M. Flikkema en R.C.H. van Otterlo, Van halfwas tot professional. Management van professionals vanuit ontwikkelperspectief, Opleiding & Ontwikkeling 2003, 5.
28. Idem, p. 21.

1.8 Casus: maskeren van halve deskundigheid in de advocatuur

In een gesprek dat de auteurs Flikkema en Van Otterlo hadden met een jonge advocate van een middelgroot advocatenkantoor werd duidelijk dat niet alleen (onuitgesproken) gedragsregels en interne procedures op het eigen kantoor een belangrijke gedragsvormende en sturende rol hebben, maar ook de beroepsopleiding en het bijbehorende contact met stagiaires van andere kantoren. Gedrag dat de advocate van kantoorgenoten en in het bijzonder van haar patroon heeft 'gekopieerd', was bijvoorbeeld het gebruik van de dictafoon en de wijze waarop een intakegesprek met een nieuwe klant wordt gevoerd (in termen van de te bespreken gegevens). Door het contact met stagiaires van andere kantoren tijdens de beroepsopleiding leerde ze het maskeren van ondeskundigheid. Imitatie op twee fronten dus!

Gedurende de *exploratiefase* (wat vind ik er zelf van?) groeit het zelfvertrouwen van de jonge professional, die nu ook voor het eerst nieuwe inzichten, die hij veelal extern heeft verkregen, durft aan te dragen. Tevens ontwikkelt de professional zich in enkele vakgebieden meer in de diepte. Collega's raadplegen hem op die gebieden. Dit is ook de fase waarin de professional zich ontwikkelt richting I-prof, dan wel richting R-prof. Aan de hand van de hierna volgende casus wordt de *exploratiefase* beschreven.[29]

1.9 Casus: professionele anarchie binnen Turner

Binnen Turner, een middelgroot organisatieadviesbureau, wordt voor adviseurs met ongeveer twee tot drie jaar werkervaring een 'kennis-opfris-traject' georganiseerd, het zogenoemde KOT'en. In dit traject, begeleid door een universitair hoofddocent van de universiteit Nijenrode, zijn het delen van *state of the art* bedrijfskundige kennis en het oprekken van de (collectief) heersende mentale modellen van jonge professionals de belangrijkste doelen. De deelnemers ervaren vaak collectief dat ze organisaties (nog) maar op één manier waarnemen, terwijl er ook talloze andere mogelijkheden zijn. Resultaat van dit traject is over het algemeen het ontstaan van een kortstondige professionele anarchie. Een storm die doorgaans weer snel luwt gegeven de weerbarstigheid van de praktijk, maar die wel leidt tot vernieuwingsimpulsen in de adviespraktijk van Turner.

In de *creatiefase* (hoe vind ik de ruimte om mijn ideeën vorm te geven?) werkt de professional al geheel zelfstandig. Zijn identificatie met zijn professie is groter geworden dan zijn identificatie met de organisatie waar hij werkt. Hij weet vanuit zijn ervaring nieuwe elementen aan de eigen werkwijze toe te voegen. Zijn professionele bijdrage krijgt een grotere diepgang. In de hierna volgende casus wordt de *creatiefase* beschreven.[30]

---

29. Idem.
30. idem.

1.10 Casus: The Change Factory, gedeelde passie en visie

Drie jonge professionals van Berenschot Consultancy hebben de kans gekregen om binnen de moederorganisatie hun eigen team op te zetten, 'The Change Factory'. De initiators zijn bij de naamgeving geïnspireerd door 'The Hitfactory', de studio waar Bruce Springsteen zijn opnames deed. Het idee voor de oprichting is ontstaan doordat na vijf jaar werken in andere groepen binnen Berenschot er een duidelijke visie ontstond op de wijze waarop veranderprocessen in organisaties uitgevoerd zouden moeten worden en wat daarbij de rol van de adviseur zou moeten zijn. Deze visie is uitgewerkt in een aantal principes en uitgangspunten (en natuurlijk in een degelijk businessplan). Enkele belangrijke principes zijn: adviseurs moeten kunnen werken op zowel inhoud als proces. Dit betekent een achtergrond als bedrijfskundige aangevuld met organisatiepsychologische kennis en ervaring of vice versa. Het betekent ook niet op de stoel van de manager gaan zitten maar zij aan zij werken met managers die echt iets willen (een 'business issue' hebben) en impact willen hebben. De afgelopen vijf jaar hebben bewezen dat het concept werkt. Gedeelde passie van de mensen binnen 'The Change Factory' om het te laten slagen is daarbij een belangrijke succesfactor gebleken.

In de *inspiratiefase* ten slotte (hoe kan ik van betekenis zijn voor anderen?) bereikt de professional zijn professionele hoogtepunt en kan hij van bijzondere waarde zijn als mentor of begeleider (patroon binnen de advocatuur) voor de jonge professionals in met name de *imitatie- en exploratiefase*. Voor meer inhoudelijke beroepen komt dit tot uiting in de expertrol. Voor meer procesmatige beroepen in de rol van senior. In sommige organisaties kom je het begrip goeroe tegen, misschien niet bewust als titel gehanteerd maar wel als element in de omschrijving.
Loopbanen van professionals bewegen zich niet uitsluitend langs de geschetste vier fasen. Op enig moment zal de professional in zijn carrière ook de keuze moeten maken, mede afhankelijk van zijn talenten en ambitie. Wil hij zich geheel toeleggen op verdere uitbouw van zijn professionele expertise en zijn loopbaan langs die lijn verder vormgeven? Of wil hij zich veel meer managerial en bestuurlijk ontwikkelen? Dit laatste kan ten koste gaan van de verdere uitbouw van zijn vakontwikkeling. Ohlotte, Ruderman en McCauley zien managementontwikkeling als een gestage uitbreiding van de kritische werksituaties die men beheerst: 'developmental job experiences'.[31] In dit proces neemt het belang van sociale vaardigheden bij het bereiken van de carrièredoelen sterk toe (zie figuur 4). Op weg naar de top zijn vooral interpersoonlijke bekwaamheden van doorslaggevende betekenis, aldus Jansen en Van Otterlo.[32] Het maken van de stap tussen functieniveaus wordt met name bepaald door interpersoonlijk gedrag. Alleen het werk inhoudelijk goed doen is op zich onvoldoende voor promotie.

---

31. P.J. Ohlotte, M.N. Ruderman en C.D. McCauley, Gender differences in managers' developmental job experiences, Academy of Management Journal 1994, 37, p. 46-67.
32. R.C.H. van Otterlo en P.G.W. Jansen, Managementontwikkeling binnen organisaties van professionals: competing for the top, Opleiding & Ontwikkeling 2004, 10.

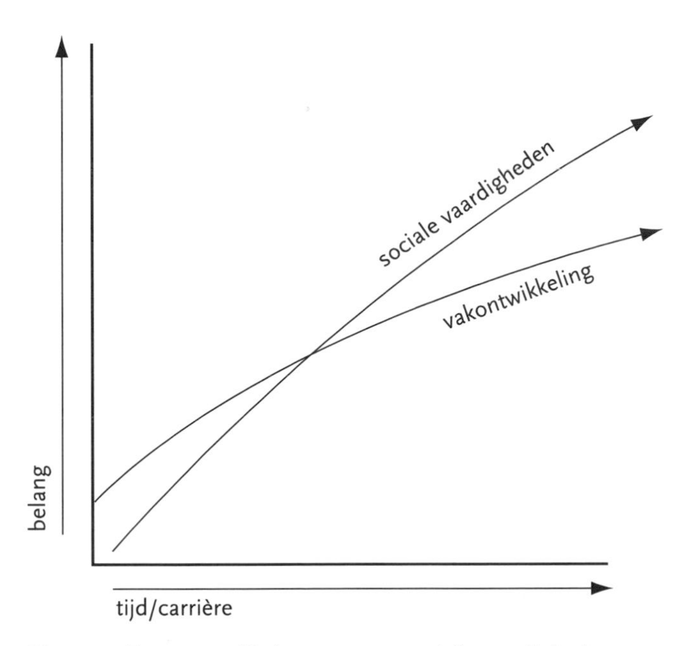

Figuur 4. Toenemend belang van van sociale vaardigheden ten opzichte van vakontwikkeling in de carrière van de professional

1.11 Toetsvragen

1. Waarin onderscheiden organisaties van professionals zich ten opzichte van professionele organisaties?
2. Is het procesmonopolie van advocaten absoluut? Leg uit.
3. Wat verstaat men onder 'leverage' binnen advocatenkantoren?
4. Wat is het verschil tussen een 'innovative professional' en een 'repetitive professional'?
5. Tot welke categorie professional behoren advocaten? Leg uit.
6. Tot welke categorie behoren notarissen? Leg uit.
7. Wat zijn competenties of bekwaamheden?
8. Welke ontwikkelingsfasen doorlopen professionals doorgaans, en wat houden die verschillende ontwikkelingsfasen in?

2 Management van professionals

2.1 Leiderschap

Om professionele juridische dienstverleners effectief te kunnen managen is het ontwikkelen van leiderschap van groot belang. Leiders visualiseren als het ware visie, ambitie en strategie van de organisatie. Zij zijn het die – indien succesvol – als voorbeeld dienen voor de jonge professionals in de *imitatiefase*. Bij de grote advocatenkantoren zijn het vooral de bestuursvoorzitters die in belangrijke mate over leiderschapskwaliteiten dienen te beschikken. Leiders houden zich in de praktijk nog weinig bezig met inhoudelijke kwesties. Daarvoor hebben zij de beschikking over gekwalificeerde experts. Leiders zijn wel in staat om in complexe situaties beslissingen te nemen en anderen te enthousiasmeren om in de gewenste richting te gaan werken.

Ook de rol van het middlemanagement is van belang. Middlemanagers staan voor een deel nog dicht bij de uitvoering en houden zich nog wel bezig met inhoudelijke kwesties. Zij coachen leden van het eigen team en overleggen met collega-managers over de te volgen koers en het oplossen van concrete vraagstukken en het aansturen van de professionals. De rol van het middlemanagement moet niet worden onderschat. Stoker en De Korte hebben op het belang van deze functie gewezen als 'linking pin' tussen de uitvoerders en de bestuurders in de organisatie.[33] Middlemanagers vervullen een belangrijke rol bij het bewerken van gegevens tot stuurinformatie en het vertalen van directieven van de top naar concrete uitvoerbare opdrachten voor de uitvoerders.

Er zijn verschillende leiderschapsmodellen mogelijk binnen kennisintensieve organisaties. De literatuur maakt onderscheid tussen de leider als patriarch, de leider als bouwer van de professionele omgeving, de leider als facilitator, de leider als zorger voor continuïteit, de leider als symbool van veiligheid, de leider als coach, de leider als manager, de leider als topmanager en de leider als despoot.[34] Al deze leiderschapsmodellen, met elk hun eigen specifieke kenmerken, komen in de praktijk voor. Er is niet één model aan te wijzen als het beste leiderschapsmodel. Organisaties kunnen dermate verschillen in cultuur en structuur dat ze aparte leiderschapsmodellen nodig hebben. Het voert te ver om hier uitgebreid op de ver-

---

33. J.I. Stoker en T. de Korte, Het onmisbare middenkader, Den Haag/Assen: Stichting Management Studies (SMS)/Van Gorcum 2001.
34. S. Mayson, Making sense of law firms. Strategy, structure & ownership, London: Blackstone 1997, p. 351-355.

schillende leiderschapsmodellen in te gaan. Wel kan in navolging van Edvinsson gesteld worden dat leiderschap in kennisorganisaties drie rollen vooronderstelt, 'thought leader, process leader and commercial leader'.[35] Mayson vertaalt dit zo: 'Thought leadership is about identifying, packaging and cultivating the firm's knowledge so that it is ahead of its competitors. Process leadership is concerned with "how to reach high energy and productivity in the interaction between staff and customers... You either create energy or steal energy from this interaction" (Edvinsson[36]). Commercial leadership is about combining thought and processleadership to create values and make money.'[37]

Leiderschap en management zijn niet synoniem, zoals vaak gedacht wordt. Leiderschap en management zijn onderscheiden maar complementaire activiteiten. Leiders zijn gericht op visie (richting) en inspiratie, terwijl managers gericht zijn op planning en controle.[38] Beide zijn nodig in de steeds complexer wordende business-omgevingen. Zeker ook binnen de commerciële rechtspraktijk. Management gaat over de vraag hoe je het beste kunt omgaan met complexiteit en is een antwoord op de opkomst van grote organisaties in de twintigste eeuw. Zonder management zijn dergelijke organisaties onbestuurbaar. Goed management zorgt voor orde en consistentie binnen de processen in grote organisaties. Leiderschap daarentegen gaat over verandering en organisatieaanpassing (*change*), en daarmee over continuïteit. Verandering is van steeds groter belang binnen de complexe business-realiteit, ook die van professionele organisaties zoals binnen de advocatuur. Organisaties kunnen niet langer volstaan met het steeds verder vergroten van de efficiency. Toenemende concurrentie, globalisering, deregulering en liberalisering van markten maken dat het vermogen tot veranderen een kerncompetentie van organisaties is geworden. Om die veranderingen te kunnen bewerkstelligen is leiderschap nodig dat in staat is mensen te motiveren. De functie van leiderschap is verandering te concipiëren en op de agenda van de organisatie te zetten. De planning en uitvoering van die verandering is bij uitstek de taak van het management.[39]

Kotter heeft tussen 1976 en 1981 uitgebreid empirisch onderzoek gedaan naar wat succesvolle leiders in de praktijk werkelijk doen. Hij kwam tot de volgende bevindingen:[40]

1. De meeste werktijd brengen leiders door met anderen.
2. Ze brengen hun tijd door met een groot scala aan medewerkers, dwars door alle hiërarchische lagen heen.

---

35. L. Edvinsson, Service leadership-some critical roles, International Journal of Service Industry Management 1992, vol. 3, nr. 2, p. 33.
36. Idem.
37. S. Mayson, Making sense of law firms. Strategy, structure & ownership, London: Blackstone 1997, p. 351-355.
38. Jaap J. van Muijen, Leiderschapsontwikkeling: het hanteren van paradoxen (oratie Universiteit Neyenrode), 2003, p. 13.
39. John P. Kotter, John P. Kotter on what leaders really do, Boston: Harvard Business School Publishing (Harvard Business Review Book) 1999, p. 52 e.v.
40. Kotter 1999, p. 148-151.

3. Gespreksonderwerpen zijn extreem divers en beslaan een veel breder terrein dan de typische business-onderwerpen.
4. Tijdens die gesprekken zijn leiders niet zozeer zelf aan het woord maar stellen zij enorm veel vragen (honderden gedurende een gesprek!).
5. Tijdens die gesprekken worden zelden grote beslissingen genomen.
6. De gesprekken zijn doorspekt met humor.
7. In een groot deel van de gesprekken is het onderwerp vaak van weinig betekenis voor de business zelf.
8. De leiders geven zelden echte 'orders' in deze gesprekken.
9. In plaats van orders te geven aan mensen proberen de leiders mensen te beïnvloeden door overtuiging, intimidatie, gekonkel en verzoeken.
10. Veel van de typische werkdag van een leider is ongepland. Ze reageren veelal op initiatieven van anderen.
11. De discussies met anderen zijn vaak kort en bevatten vaak veel niet-gerelateerde onderwerpen.
12. Leiders werken een groot aantal uren (ca. zestig uur per week).

Kotter trekt op basis van zijn onderzoek en van dat van anderen twee belangrijke conclusies over leiders:[41]
1. Het 'plannen' en 'organiseren' dat leiders doen lijkt weinig systematisch ('it seems rather hit or miss, rather sloppy').
2. Deze stijl van leiderschap lijkt niet aan te bevelen, maar is juist wel de stijl die succesvolle leiders (terecht) hanteren.

Succesvolle leiders hanteren een 'hit or miss'-leiderschapsstijl omdat zij voortdurend geconfronteerd worden met een aantal fundamentele uitdagingen en dilemma's, waarvan er twee mogelijk de belangrijkste zijn:
- Ze moeten uitzoeken wat er moet gebeuren ondanks onzekerheid, grote diversiteit en een enorme hoeveelheid van mogelijk relevante informatie.
- Ze moeten zaken voor elkaar krijgen met behulp van een grote groep mensen over wie ze voor het grootste deel geen directe controle kunnen uitoefenen. Denk bijvoorbeeld aan de bestuursvoorzitter van een groot advocatenkantoor die in feite alle advocaten in zijn kantoor moet aansturen of daar in elk geval eindverantwoordelijk voor is (overigens niet in de tuchtrechtelijke zin van het woord), maar natuurlijk in de praktijk slechts met een handjevol bestuurders en sectievoorzitters dagelijks van doen heeft.

Kortom, leiders van grote organisaties dienen over veel bekwaamheden en talenten en energie te beschikken willen zij succesvol kunnen opereren binnen moderne organisaties. En, moderne complexe organisaties hebben goede leiders nodig om succesvol te kunnen opereren in de complexe business-werkelijkheid van de moderne tijd.

---

41. Kotter 1999, p. 150.

Kijken we naar de advocatuur, dan geldt zeker voor de grote kantoren (d.w.z. de top-30 kantoren met meer dan zestig advocaten) dat goed leiderschap van grote betekenis is. Deze kantoren zijn vrijwel allemaal georganiseerd als maatschappen met partners die meedelen in de winst en dus ook in belangrijke mate zeggenschap over de organisatie en de strategie van de organisatie hebben. In de grote kantoren met tientallen partners is het dan ook geen sinecure om beleid uit te stippelen waar alle partners zich in kunnen vinden. Veelal is het dan ook een selectie van de partners die een dagelijks bestuur vormen die het beleid uitstippelen en ter goedkeuring voorleggen aan de partnervergadering. In dat dagelijks bestuur hebben partners zitting en een enkele maal ook bijvoorbeeld een kantoordirecteur of een directeur HRM die geen partner hoeft te zijn en zelfs geen advocaat. Dit laatste is vrij nieuw. Tot voor kort was het ondenkbaar dat niet-vakgenoten deel uitmaakten van het leidinggevend kader van een groot advocatenkantoor. De meningen over nut en haalbaarheid van niet-vakgenoten als topmanagers binnen organisaties van professionals zijn verdeeld. De Haas pleit ervoor professionele managers van buiten de organisaties aan te trekken om het kantoormanagement (financiën, Human Resource Management, bureau-organisatie enz.) te runnen. Hij ziet geen problemen in de samenwerking tussen dergelijke professionele managers en de managing partners en professionals binnen advocatenkantoren.[42] Er zijn ook auteurs die van mening zijn dat die samenwerking tussen professionals en niet-professionals (althans niet-vakgenoten) wel eens problematisch zou kunnen zijn en in elk geval binnen de advocatuur nog lang niet is uitgekristalliseerd. De professionals zouden de neiging hebben om neer te kijken op ondersteunende stafdiensten. Het zijn immers geen *fee earners*.[43] Dit probleem kan voorkomen worden als partijen meer kennis hebben van elkaars vakgebied en inzien hoe juist de integratie van diverse vakgebieden kan bijdragen tot het succes van de organisatie. In zijn boek '5th Generation Management' beschrijft Savage op treffende wijze hoe een general manager zijn managementteam langzaam maar zeker ombouwt van een groep disciplinegeoriënteerde solisten naar een groep teamplayers die elk probleem integraal bekijken en op vakvolwassen manier hun eigen disciplinekennis en ervaring inbrengen om het probleem gezamenlijk op te lossen.[44] De general manager straft van het begin gedrag af als dat uitsluitend vanuit de eigen discipline gestuurd wordt, ongeacht of het om de manager operations, de commercieel manager, de controller of de manager HRM gaat. Hij daagt de vakmanagers uit om kennis op te doen van de andere vakgebieden en van de noodzakelijke ontwikkelingen van de organisatie, zodat zij hun eigen vakkennis in een breder perspectief leren plaatsen. Geleidelijk gaan de managers elkaars taal verstaan en krijgen zij begrip voor elkaars overwegingen en standpunten. De HRM-manager leert in financiële en businesstermen te denken en de operations manager, de commerciële manager en de controller leren in HRM-termen te denken.

---

42. M.J.O.M. de Haas, De professionele manager en de managing professional, Advocatenblad 2004, 16, p. 708-710.
43. S. Mayson, Making sense of law firms. Strategy, structure & ownership, London: Blackstone 1997, p. 254-260.
44. Ch.M. Savage, 5th Generation Management. Co-creating Through Virtual Enterprising, Dynamic Teaming, and Knowledge Networking, Newton MA: Butterworth-Heinemann 1996.

2.2 Visie

De primaire taak van leiders (hierin bijgestaan door het management) is het ontwikkelen van een heldere uitdagende en consistente visie op hoe de organisatie zich in de komende jaren dient te ontwikkelen. Soms wordt dit ook wel aangeduid als de missie van het bedrijf.
Meestal wordt hierbij gebruikgemaakt van het instrument scenarioanalyse. De volgende scenario's kunnen worden onderscheiden:

a. Pioniersfase
b. Groei
c. Stabilisatie
d. Krimp
e. Sluiting
f. Fusie/samenwerking
g. Ontvlechting/outsourcing
h. Technologische ontwikkeling
i. Innovatie (vernieuwing van werkwijzen, processen enz.)
j. Efficiencyverbetering
k. (...)

In de praktijk is meestal een mix van scenario's aan de orde. Daarnaast is het tijdsaspect van belang. Welk scenario of welke scenariomix is op dit moment aan de orde? Wat gebeurt er als je niets doet? Wat zijn de wenselijke scenario's (de scenario's van de toekomst)? Het ontwikkelen van scenario's is in hoge mate een activiteit waar alle partijen bij betrokken moeten worden. Er moet niet alleen gekeken worden welke scenario's het meest wenselijk zijn, maar ook welke realistisch zijn, zowel met het oog op de markt (behoeften van cliënten aan specifieke producten en diensten, omzetverwachtingen) als met het oog op condities van de organisatie (beschikbaarheid van geld, competenties van managers en medewerkers, de technologische infrastructuur, enz.).

Bij het ontwikkelen van een visie houdt de leiding rekening met de volgende aspecten:

- Hoe heeft het bedrijf de afgelopen jaren gefunctioneerd? Wat werkte goed, wat minder goed?
- Hoe staat het bedrijf op dit moment ervoor qua marktpositie, financiële situatie, omvang en kwaliteit van het personeelsbestand, enzovoort? Wat zijn de sterke en de zwakke punten (SWOT-analyse: 'Strengths and Weaknesses')?
- Wat zijn de vooruitzichten van het bedrijf? Wat zijn de kansen en bedreigingen (SWOT-analyse: 'Opportunities and Threats')?
- Hoe ziet de omgeving van het bedrijf eruit? Wie zijn de concurrenten, waarin onderscheiden zij zich, wie zijn (potentiële) cliënten, wat zijn hun behoeften, enzovoort?

Op basis van een gedegen analyse van deze en mogelijk andere aspecten is het mogelijk te bepalen in welke richting het bedrijf zich moet ontwikkelen om ook in de toekomst succesvol te kunnen zijn. De leiding stelt zich de vraag welke ambities zij heeft en in hoeverre deze realistisch zijn. Zij probeert draagvlak te verkrijgen binnen de organisatie, eerst bij het management en later ook bij andere geledingen binnen en buiten de organisatie. Als er voldoende draagvlak is voor de visie of missie van de organisatie, kan de volgende stap worden gezet: het ontwikkelen van een strategie die aangeeft hoe de leiding van de organisatie de ambities wil realiseren.

Een heldere visie heeft als belangrijk neveneffect voor advocatenkantoren dat hiermee commitment van medewerkers aan het kantoor kan worden versterkt. Het ontbreken van een heldere visie blijkt namelijk zowel voor medewerkers als voor partners een belangrijke reden om het kantoor te verlaten.[45]

2.3 Strategie

Strategie is een lastig abstract begrip. Er bestaan dan ook zeer veel definities van het begrip strategie. Boekenkasten zijn erover volgeschreven. In feite kan strategie eenvoudig gedefinieerd worden als een (business)plan waarmee een zakelijke doelstelling kan worden bereikt, ofwel de wijze waarop de ambities van de organisatie worden vormgegeven.[46] Die ambitie kan bijvoorbeeld liggen op het terrein van omzet, marktaandeel, winstgevendheid enzovoort. Hoe realiseren we een bepaalde omzet, marktaandeel of winstgevendheid? Elke organisatie, groot of klein, zal op een bepaald moment een strategie moeten bedenken. Men wil immers ook op langere termijn overleven en zal derhalve strategische keuzes moeten maken voor de toekomst. Voor organisaties van professionals en professionele organisaties in de juridische dienstverlening is dat niet anders dan voor bijvoorbeeld handels- of productiebedrijven. De strategie dient afgestemd te worden op de mogelijkheden van de organisatie. Het heeft geen zin voor een advocatenkantoor om zich te storten op de markt voor mergers en acquisitions als daar geen kennis van is binnen de organisatie. Zie de Toga-casus in paragraaf 6.10 waarin we hebben laten zien dat ook binnen een advocatenkantoor strategische keuzes gemaakt kunnen worden.

2.4 Het managen van de professionals

Omdat, zoals eerder betoogd, advocatenkantoren zich meer en meer ontwikkelen van *organisaties van professionals* naar *professionele organisaties*, neemt het belang van management als onderscheiden activiteit binnen die organisaties toe. In organisaties van professionals, zeker als dat relatief kleine organisaties betreft – denk bijvoorbeeld aan kleine advocatenkantoren met minder dan twintig advocaten –, is het managen van die professionals relatief minder belangrijk dan bij grotere kantoren het geval is. Van professionals die in klein verband werken mag verwacht worden dat zij in staat zijn om zichzelf te managen, waarbij de enige ondersteuning die

45. C.W.M. Dullaert, H.F.M. van de Griendt, De lastige partner. Management van een advocatenkantoor, Den Haag: Reed Business Information 2004, p. 34.
46. R.C.H. van Otterlo, P&O-strategie. Human resource management in de praktijk. Module-1 van educatieve reeks Rendement uit P&O, Amsterdam: WEKA 2003, p. 7.

men nodig heeft komt van een eveneens zelfstandig werkende secretaresse. Anders wordt het bij grote professionele organisaties met secties en besturen en complexe processen. Hier dienen mensen en processen gemanaged te worden om te voorkomen dat men langs elkaar heen gaat werken en er uiteindelijk inefficiënt geopereerd wordt, met alle negatieve financiële consequenties van dien. Je zou kunnen zeggen dat het belang van management toeneemt naarmate een *organisatie van professionals* zich meer ontwikkelt tot een *professionele organisatie* (zie figuur 5).

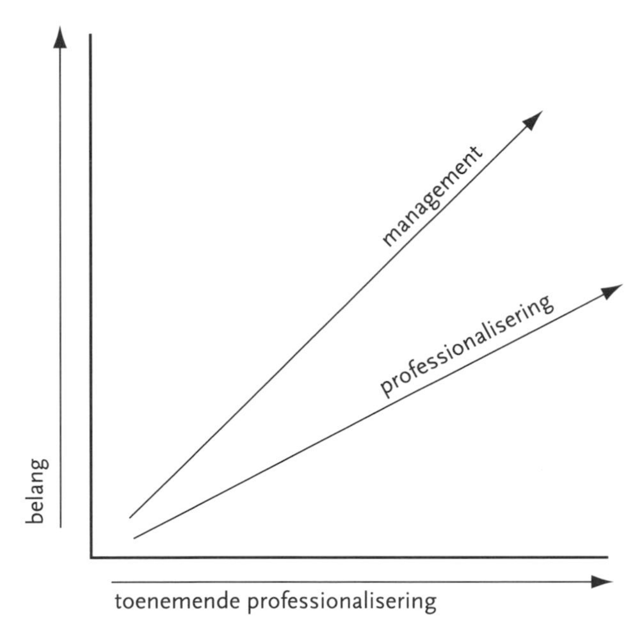

Figuur 5. Toenemend belang van management bij toenemende professionalisering van de organisatie

Het managen van professionals is geen sinecure. Professionals laten zich immers niet graag vertellen wat zij moeten doen. Dat weten ze immers zelf wel. Feedback ontvangen zij veelal direct van hun cliënten. Advocaten vertonen een aantal kenmerken waardoor zij lastig te managen zijn. Dullaert en Van de Griendt hebben die kenmerken in kaart gebracht:[47]

- Hoge mate van autonomie, zelfstandigheid en behoefte aan vrijheid; verantwoordelijkheid afleggen wordt ervaren als een beperking van creativiteit en mogelijkheid om de beste oplossing te vinden.
- Ze motiveren zichzelf.
- Hoge mate van verantwoordelijkheid.
- Persoonsgebonden werkwijze.
- Ze functioneren zowel binnen de eigen organisatie als binnen de organisaties van de cliënten.

47. C.W.M. Dullaert, H.F.M. van de Griendt, De lastige partner. Management van een advocatenkantoor, Den Haag: Reed Business Information 2004, p. 21.

- Ze functioneren zowel binnen interne als externe netwerken van collega-professionals.
- De meeste professionals, dus ook advocaten, werken het liefst alleen.
- Ze laten zich wel coachen, maar niet managen.

Een manager van professionele werkers moet volgens Maister[48] professionals hun eigen beslissingen laten nemen en hun eigen vergissingen laten maken om zodoende hun ontwikkeling tot professional te bevorderen. De manager van professionals is veel meer een leermeester en coach dan een lijnchef die dirigistisch orders uitdeelt en steeds meekijkt naar de inhoudelijke kwaliteit van het afgeleverde werk. Managers van professionals moeten vooral inspirerend, enthousiasmerend en vertrouwenwekkend zijn. Meer leider dan leidinggevende.

Managers van professionals dienen zich dus veelal te richten op de ontwikkeling van de professional. Dit dient volgens Flikkema en Van Otterlo vooral te geschieden door gedifferentieerde begeleiding te geven aan de professionals.[49] Elke fase van ontwikkeling van de professional zoals eerder geschetst, vergt een andere invulling van begeleiding door de manager. Hierna staan *do's and don'ts* voor managers van professionals, per gedragsfase (Flikkema & Van Otterlo):

Imitatiefase: zorg dat de professional het vak leert.

- Zorg voor een inwerkprogramma met daarin:
  a. uitleg van de belangrijke interne procedures en werkafspraken;
  b. een rondje langs veelvoorkomende klant/projectsoorten, overweeg zelfs bezoek 'on the spot';
  c. de basisfilosofie en gekoesterde waarden van de organisatie;
  d. de introductie van veelgebruikte methodieken, technieken en literatuur.
- Zorg voor een vaste mentor bij wie de aanstormende professional in de startperiode kan aankloppen met problemen of vragen.
- Expliciteer gewenste prestaties en prestatieverbeteringen. In deze fase gaat het vooral om het onder de knie krijgen van vaardigheden en daarom kan de introductie van een competentiemanagementsysteem zeer effectief zijn, zeker gegeven de vaak moeilijk te meten output van de primaire werkprocessen.
- Stel samen met de jonge professionals een persoonlijk ontwikkelplan op, waarin afspraken worden gemaakt over ontwikkeldoelen én middelen die daarvoor ingezet mogen worden.
- Oefen vaak praktijksituaties (vooral in de vaardighedensfeer), bijvoorbeeld 'omgaan met weerstand', 'openen en afsluiten van een workshop', 'intake met nieuwe klant'.

---

48. D.H. Maister, Management van professionele organisaties, Schoonhoven: Academic Service 1999 (oorspr. titel: Managing the professional firm, New York: The Free press 1993).
49. M. Flikkema en R.C.H. van Otterlo, Van halfwas tot professional. Management van professionals vanuit ontwikkelperspectief, Opleiding & Ontwikkeling 2003, 5.

- Plan tijd voor coaching van 'jonge honden'. In de praktijk wordt in planningen vaak geen rekening gehouden met (onbetaalde) tijd voor coaching vanuit de gedachte dat coaching 'on the job' het best is. Meestal komt daar echter weinig van terecht. Coaching verwordt daardoor in veel gevallen tot het aandragen van oplossingen omdat de planning anders niet gehaald wordt. Op deze manier draagt coaching niet bij aan het vergroten van het zelfvertrouwen en het ontwikkelen van competenties bij jonge professionals.
- Zorg dat de jonge professional veel 'vlieguren' maakt, maar niet te versnipperd over verschillende (klant)opdrachten.
- Geef zeer kortcyclische feedback, ook direct op het functioneren, dat wil zeggen geef feedback direct gekoppeld aan het functioneren en laat daar geen week overheen gaan! De vaak gehanteerde frequentie van functioneringsgesprekken (twee keer per jaar, d.w.z. in juni en in december) is in deze fase veel te laag. De jonge professional moet in korte tijd veel nieuws leren en dat dient op de voet te worden gevolgd omdat het afbreukrisico juist in de eerste fase erg groot is.
- Stimuleer het uitwisselen van ervaringen tussen jonge professionals. Het gevoel hebben dat ook anderen in hetzelfde schuitje zitten maakt de startperiode minder zwaar.
- Sluit sterk aan bij de wensen van de jonge professionals. Kortcyclische klussen, resultaatgericht en divers van aard.
- Verdiep u als leider in het karakter van de jonge professional. Oordeel betreffende kennis en kunde alleen is onvoldoende voor een noodzakelijke vertrouwensband.

Exploratiefase: stimuleer bij de professional de ontwikkeling van een eigen visie op de professie.

- Verhef diversiteit tot belangrijke bedrijfswaarde en wees u ervan bewust dat uw voorbeeld als norm wordt gezien.[50]
- Beloon de professional voor exploratieresultaten (en niet alleen voor productieresultaten). Beloning die louter gebaseerd is op het aantal 'billable hours' (declarabele uren), stimuleert het schrijven van artikelen en het uitwerken van nieuwe methodieken niet. 'You get what you measure' geldt ook hier. In sommige organisaties bestaan zelfs fondsen/prijzen voor innovatieve ideeën.
- Projecteer niet uw eigen waarheid op de broze waarheid van een professional in ontwikkeling. Vaak erg moeilijk voor managers die tevens vakgenoten zijn.
- Voer gezamenlijk projectevaluaties uit en bied daarin ruimte voor afwijkende meningen.
- Geef het aanstormende talent meer verantwoordelijkheden én vrijheidsgraden in (klant)opdrachten.
- Laat de professional in spe zijn ideeën ook toetsen aan de ideeën van vakgenoten buiten de organisatie die met dezelfde onderwerpen bezig zijn (zie ook de casus 'Professionele anarchie binnen Turner' in par. 1.9).

---

50. Q. Danko, Nuttige gekken, Intermediair van 3 oktober 2002.

- Bewaak hobbyisme, ontdekkingstochten zijn prima maar moeten uiteindelijk ook in het belang van de organisatie zijn!
- Creëer een podium waarop de professional in spe zijn ideeën moet verkondigen, 'druk' zorgt voor resultaten. Binnen Turner wordt eens per maand een themaochtend georganiseerd die als een dergelijk podium fungeert.
- Laat de professional ook ruiken aan 'business development' (marketing en sales). Meegaan op acquisitiegesprek en 'koud bellen' van potentiële klanten zijn voorbeelden van hoe u dat kunt organiseren. Pas als je iets persoonlijk ervaren hebt, kun je er ook goed een oordeel over vellen.
- Stippel na verloop van tijd samen met de professional een carrièrepad uit. Afhankelijk van de door de organisatie gekozen strategische focus – klantloyaliteit, efficiency of innovativiteit – en de paden die collega's zijn ingeslagen, is er voor zowel I- als R-professionalisme in meer of mindere mate ruimte.
- Geef ruimte voor niet-declarabele tijdsbesteding die van meerwaarde kan zijn voor kantoor, bijvoorbeeld een advocaat die zich specialiseert in coaching en begeleiding van stagiaires.

Creatiefase: maak heldere outputafspraken!

- Maak SMART-afspraken (Specifiek, Meetbaar, Acceptabel, Realistisch, Tijdgebonden) over de gewenste output van de professional (omzet, klanttevredenheid, aantal publicaties).
- Geef geen ongevraagd advies over de uitvoering van de afspraken. Dat wordt uitgelegd als een gebrek aan vertrouwen en een bedreiging van de gewenste professionele autonomie.
- Kom niet aanzetten met competentiekaarten of persoonlijke ontwikkelplannen, de professional zit er in dit stadium van zijn ontwikkeling echt niet meer op te wachten, maar bespreek wel een ontwikkelpunt waarheen de professional zich kan leiden (bijv. intern richting coach, extern richting hoogleraar).
- Spreek regelmatig uw waardering uit voor neergezette prestaties. Vooral de 'prima donna's' stellen het zeer op prijs als ze regelmatig worden aangehaald. Waardering is een 'dissatisfier' voor de 'prima donna's'. Waardering stimuleert niet maar leidt wel tot ontevredenheid wanneer ze uitblijft.
- Verlang van de professional dat hij een deel van zijn kennis eliciteert, dat wil zeggen toevertrouwt aan het papier of een andere fysieke kennisdrager. Deze codificatieslag vergemakkelijkt de toetreding van junioren/aankomend professionals tot de nieuwe 'line of business' en verkleint de schade als een professional toch vertrekt.
- Faciliteer de kenniselicitatie met eenvoudige formats, vragenlijsten en systemen.

Inspiratiefase: houd elkaar niet voor de gek!

- Houd elkaar niet voor de gek, iedereen moet op een gegeven moment een stapje terug doen. De professional is over zijn professionele hoogtepunt heen maar nog zeer waardevol als mentor, coach of tutor.

Hieraan kan nog worden toegevoegd:
- Stel de ervaren professional in de gelegenheid zijn of haar kennis en ervaring op papier te zetten, er les over te geven, erover te spreken op congressen.

Niet elke professional doorloopt alle fasen van dit model. Het is bijvoorbeeld goed denkbaar dat sommige professionals hun hele carrière lang topprofessional in hun vak blijven en nooit een stapje terug doen. Denk bijvoorbeeld aan rechters die tot op hoge leeftijd hun vak blijven uitoefenen bij rechtbanken en de Hoge Raad. Er zijn echter ook rechters die uiteindelijk het laatste deel van hun carrière liever doorbrengen in de relatieve luwte van een kantongerecht in plaats van in de hectiek en complexiteit van een arrondissementsrechtbank.
Ook binnen de advocatuur zijn er voldoende professionals die tot op hoge leeftijd actief blijven in een complexe cassatiepraktijk, terwijl er andere advocaten zijn die ervoor kiezen naast hun praktijk steeds meer bestuurlijke en/of managerial taken op zich te nemen en daarmee minder declarabele uren draaien. Daarnaast is het zo dat het doorlopen van de geschetste ontwikkelingsfasen in de praktijk korter of langer kan duren al naar gelang de praktijksituatie van de professional en zijn capaciteiten. Een briljant jurist met matig ontwikkelde sociaal-communicatieve vaardigheden zal wellicht in de imitatiefase meer tijd nodig hebben zich de gewenste competenties eigen te maken waarmee hij zelfstandig cliënten te woord kan staan dan de minder briljante jurist met een natuurlijke aanleg voor intermenselijke communicatie.

2.5 Werken met de Strategy Map en de Balanced Scorecard (BSC)

Bij het ontwikkelen van de visie en de strategie van de organisatie wordt in steeds meer organisaties gebruikgemaakt van *Strategy Maps en Balanced Scorecards*. Deze door Kaplan en Norton ontwikkelde managementtools zijn nuttige hulpmiddelen om de belangrijkste factoren op te sporen die van invloed zijn op het succes van de onderneming en vervolgens de samenhang tussen die factoren te onderkennen en de prioriteiten te bepalen (Kaplan & Norton, 2004).[51] In Strategy Maps worden vier perspectieven onderscheiden:
1. Financieel
2. Klant/markt
3. Interne processen
4. Leren en groei (ook wel technologische, informatietechnische en sociale infrastructuur genoemd)

In de meeste profitorganisaties gaat het erom voldoende omzet te genereren en deze zodanig efficiënt voort te brengen en te leveren dat er winst overblijft (de 'raison d'être' van profitorganisaties en dus ook van de meeste advocatenkantoren). Dit betekent dat producten en diensten worden geproduceerd en geleverd waaraan

51. Robert S. Kaplan and David P. Norton, Strategy Maps: Converting Intangible Assets into Tangible Outcomes. Boston: Harvard Business School Press 2004.

klanten of opdrachtgevers behoefte hebben. Het productieproces moet zodanig effectief en efficiënt worden vormgegeven dat diensten en producten snel, foutloos en tegen zo laag mogelijke kosten voortgebracht en geleverd kunnen worden. Om dit te kunnen doen dient kwalitatief goed personeel aanwezig te zijn, dient de technologische infrastructuur van voldoende hoog niveau te zijn en dient ook het organisatorische en sociale klimaat gunstig te zijn.

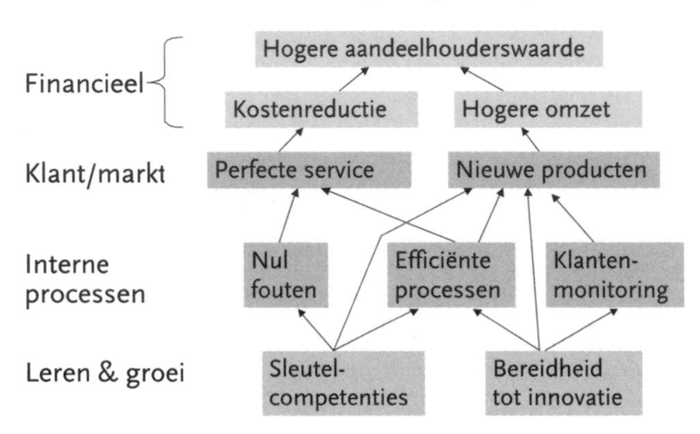

(Bron: Kaplan & Norton Strategy Maps Boston 2004)

Figuur 6. Voorbeeld van een Strategy Map

Als de elementen van de Strategy Map zijn benoemd, dan kan een Balanced Scorecard worden opgezet. Per element worden één of meer indicatoren ontwikkeld, waarmee na verloop van tijd kan worden gemeten of succes wordt geboekt. Per indicator wordt de huidige situatie vastgelegd, bijvoorbeeld 7% ziekteverzuim. Dit laatste is een kengetal. Vervolgens wordt per indicator het gewenste niveau bepaald, bijvoorbeeld een verlaging van het ziekteverzuim naar 5%. Dit is een stuurgetal, ook wel target genoemd. Een voorbeeld van een set ken- en stuurgetallen treft u aan in het navolgende.

Tabel 20. Voorbeeld van een ken- en stuurgetallenset (= Balanced Scorecard)

Perspectieven:	**Kengetallen:**	**KGT:**	**SGT:**
Financieel:	Financieel resultaat	-3%	0%
	Budgetgroei	100%	120%
	Kostenontwikkeling	103%	100%
Klant/markt:	Dienstintroducties	2	5
	Klachtenontwikkeling	12,6%	8,4%
	Behoefte aan nieuwe diensten	2,2%	3,2%
Interne processen:	Foutenpercentage	3,5%	1,5%
	Gemiddelde doorlooptijd verwerking	22 dgn	16 dgn
Leren & groei:	Score plannen en organiseren	32%	50%
	Score klantgerichtheid	55%	75%

Het verdient aanbeveling de stuurgetallen of targets vast te stellen in goed overleg met betrokken geledingen, bijvoorbeeld lijnmanagement, personeel, bestuur enzovoort. Nadat de targets zijn vastgelegd, kunnen op nader te bepalen momenten in de toekomst opnieuw kengetallen worden verzameld (jaar 2). Deze kunnen worden vergeleken met de oorspronkelijke kengetallen (= jaar 1) en de opgestelde targets (stuurgetallen/normen). Dit levert het volgende resultaat op:

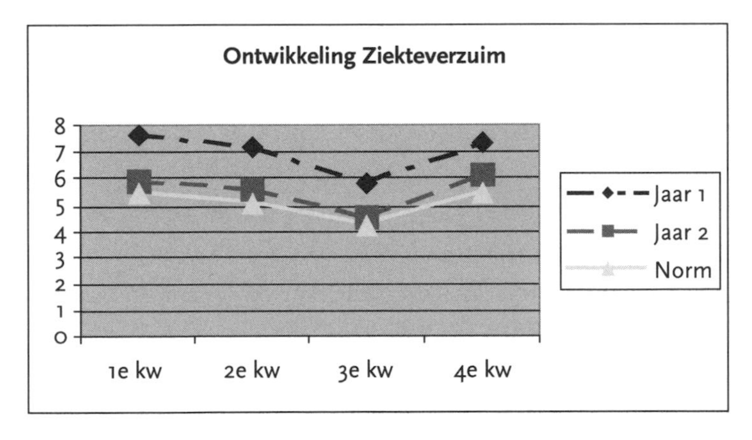

Figuur 7. Voorbeeld van een trendgrafiek

Uit de voorgaande grafiek kunnen we opmaken dat het ziekteverzuim in jaar 2 met gemiddeld meer dan 1% gedaald is ten opzichte van jaar 1. Dit zal de financiële resultaten van de organisatie behoorlijk ten goede komen.

2.6 MANAGEMENTAGENDA

Uit de vier perspectieven van de Strategy Map en de Balanced Scorecard kunnen we de belangrijkste aandachtspunten van het management afleiden. Specifiek gaat het om de volgende aandachtspunten:
1. Financieel management
2. Marketing management
3. Operationeel management
4. (Human) Resource management

Aan elk van deze vier managementaspecten besteden wij nader aandacht. Eerst behandelen we marketing management omdat dit de meest logische stap is na het bepalen van de visie of missie van de organisatie. Daarna gaan we nader in op enkele hoofdzaken uit de discipline van het financieel management. Vervolgens beschrijven we hoe het managen van de interne processen in zijn werk gaat. We noemen dit operationeel management. We sluiten af met een beschrijving van het management van de human resources: hierbij gaat het om de ontwikkeling en het beheer van de menselijke hulpbronnen, bij grote en middelgrote advocatenkantoren in de regel meer dan zeventig procent van het totale organisatiebudget.

2.7 TOETSVRAGEN EN WERKOPDRACHT

Toetsvragen
1. Is leiderschap hetzelfde als management? Leg uit.
2. Zijn er verschillende soorten leiders? Leg uit.
3. Noem vier aspecten van leiderschap in de praktijk.
4. Wat is ‘visie’ en waarom is deze nodig?
5. Wat is ‘strategie’?
6. Zijn professionals te managen? Leg uit.

Werkopdracht
Stel een Strategy Map en een Balanced Scorecard op voor de organisatie waar u werkzaam bent (of een andere organisatie die u goed kent).

3 Marketing Management

De aanwezigheid van klanten en hun behoefte aan bepaalde producten of diensten zijn de belangrijkste bestaansredenen van elke onderneming. Zolang er conflicten zijn tussen partijen waarbij wetgeving aan de orde is, zal er behoefte bestaan aan vormen van juridische ondersteuning. Het is bij uitstek de taak van het management om te proberen de afname van diensten en producten van de organisatie te vergroten en daardoor de winstgevendheid te bevorderen. Een van de eerste taken is een goede analyse te maken van de effectiviteit van de diverse diensten en producten en na te gaan wie er gebruik van maken. De tweede stap is het opstellen van een marketingplan. Al werkende dient regelmatig aandacht te worden besteed aan de vraag of de organisatie nog wel voldoende zichtbaar en herkenbaar is in de markt. In marketingtermen wordt dit 'branding' genoemd. Tot slot besteden we in dit hoofdstuk specifiek aandacht aan de relaties met de cliënten en hoe die relaties beter gemanaged kunnen worden zodat de cliënten blijven terugkomen en de continuïteit in de dienstverlening bevorderd wordt.

3.1 Analyse van de effectiviteit van producten en diensten

Het is belangrijk voor elke onderneming om te bepalen welke soorten klanten of markten bediend worden met welke soorten producten. Hiervoor kan het productmarktportfolio worden gebruikt:

Tabel 21. Voorbeeld van een product-marktportfolio

Marktgroepen: **Producten:**	**Ouders**	**Werknemers**	**Werkgevers**	**Asielzoekers**
Familierecht	x			
Arbeidsrecht		x	x	
Asielrecht				x

Als duidelijk is welke product-marktcombinaties aan de orde zijn, is het zinvol om te bepalen welke combinaties het meest opleveren c.q. het meest veelbelovend zijn qua mogelijke opbrengsten in de toekomst. Hiervoor wordt het bekende marketingportfolio van de Boston Consulting Group (BCG) gehanteerd:

Tabel 22. De BCG-matrix

Marktgroepen: / Producten:	Ouders	Werknemers	Werkgevers	Asielzoekers
Familierecht	x			
Arbeidsrecht		x	x	
Asielrecht				x

Vrij naar: Stern & Stalk 1998[52]

Toegepast op de advocatenpraktijk zou de BCG-matrix er als volgt uit kunnen zien:

Tabel 23. Voorbeeld van een BCG-matrix in de advocatuur

Potentieel: / Huidige opbrengst:	Hoog	Laag
Hoog	-	Asielzaken
Laag	Werkgevers	Werknemers Ouders

De strategie kan er het best op gericht zijn op korte termijn omzet te blijven genereren uit het segment asielzoekers en op langere termijn te investeren in het aanwerven van nieuwe cliënten onder werkgevers. Investeringen in het werven van cliënten onder werknemers en ouders dienen zo veel mogelijk achterwege gelaten te worden. Het is misschien zelfs verstandig om te proberen het bestaande klantenbestand in die beide cliëntgroepen sterk terug te dringen.

3.2 DE VIJF P'S VAN MARKETING

In de marketing is het belangrijk te sturen op een vijftal elementen:
1. Product
2. Promotie
3. Prijs
4. Plaats
5. Personeel

Deze vijf P's dienen in het marketingplan verder te worden uitgewerkt.

52. C.W. Stern and G. Stalk, Perspectives on Strategy from The Boston Consulting Group, New York: John Wiley & Sons 1998.

De eerste vier zijn voor het eerst beschreven door McCarthy (1960).[53] De vijfde wordt de laatste jaren steeds toegevoegd omdat het bij marketing van 'mensintensieve' dienstverlening, zoals de advocatuur, in hoge mate afhankelijk is van de kwaliteiten en eigenschappen van degene die de diensten verleent, in casu de advocaat (zie bijv. de website van de Kamer van Koophandel).[54] 'Product' hebben we reeds behandeld bij product-marktportfolio. 'Promotie' is eveneens belangrijk. Hiervoor staan de manager de volgende middelen ter beschikking:

Tabel 24. Marketinginstrumenten

Persoonsgerichte acties:	Algemene (organisatiebrede) acties:
– Bellen of kaartjes sturen naar vroegere cliënten	– Adverteren in lokale nieuwsmedia
– Gericht informatie toesturen	– Nieuwsbrief uitgeven
– Lidmaatschap van organisaties waar veel potentiële cliënten komen	– Direct mail – Brochures op aanvraag
– Bezoeken van beurzen	– Publiceren (artikelen/boeken)
– Netwerken (bijv. lunches/diners/recepties)	– Radio- en tv-uitzendingen
– Spreekbeurten (bijv. bij Kamer van Koophandel)	– Reclameborden – Website

Wat 'plaats' betreft, is van belang of de diensten en producten vanuit een goede locatie geleverd worden. Als bereikbaarheid van de organisatie een belangrijke overweging is voor potentiële cliënten om naar de organisatie toe te stappen en de meeste potentiële cliënten verblijven in nieuwbouwwijken, dan is vestiging van (een deel van) de organisatie sterk aan te raden.

'Personeel' is een belangrijke factor die bepalend is voor commercieel succes. In de dienstverlening neemt de omzet toe naarmate er een sterkere match is tussen de persoon van de dienstverlener en individuele cliënten. Het is van groot belang om hierop te sturen. Als het cliëntenbestand grotendeels uit ouderen bestaat, is het wellicht niet verstandig om veel jonge dienstverleners in dienst te hebben. In hoofdstuk 6, dat met name handelt over Human Resource Management, komen we hier uitgebreid op terug.

3.3 Marketingplan

Uitgaande van de gegevens die de product-marktanalyses hebben opgeleverd en rekening houdend met marktontwikkelingen is het mogelijk doelgerichte marketingacties te plannen en te organiseren. Op basis van feitelijke trends kunnen wel-

53. J. McCarthy, Basic Marketing: A Managerial Approach. Homewoord: Irwin 2001 (13th ed./1th ed.: 1960).
54. Kamer van Koophandel, Het marketingplan als onderdeel van het ondernemingsplan, www.kvk.nl/topic/topic.asp?topicID=44, 2005.

licht voorspellingen worden gedaan over hoe de markt zich zal ontwikkelen. Als de wet- en regelgeving op het gebied van asielrecht verandert, heeft dit consequenties voor de dienstverlening die aan de toekomstige stroom van asielzoekers zal worden verleend. Als op dat moment vijftig procent van de omzet in dit marktsegment gerealiseerd wordt, kan een aanzienlijke vermindering plaatsvinden tot bijvoorbeeld twintig procent. Dit heeft consequenties voor het aantal advocaten dat zich met asielzaken bezighoudt. Ook feitelijke ontwikkelingen in het product-marktportfolio kunnen aanknopingspunten opleveren voor het kiezen van de onderwerpen waarop marketingacties gericht kunnen worden.

Het is verstandig periodiek (bijv. om de twee jaar) een marketingplan op te stellen. Hierin kunnen de volgende onderdelen aan de orde komen:
1. Analyse van in de afgelopen periode gerealiseerde omzetten.
2. Trendanalyse: welke ontwikkelingen vinden plaats in de diverse marktsegmenten?
3. Prognoses: in welke segmenten zal de omzet toenemen en in welke afnemen?
4. Welke marketingacties zijn nodig?
5. Welke ontwikkelingen zijn nodig in de sfeer van de vijf P's?
6. Hoeveel budget is hiervoor nodig?
7. Wat zijn de te verwachten opbrengsten?

3.4 'Image building'/'branding'

In sommige situaties is het nodig dat het bedrijf zich profileert. Dit wordt 'image building' of 'branding' genoemd. Sommige bedrijven specialiseren zich op het vervaardigen van producten of het leveren van een bepaalde dienst. Andere bedrijven onderscheiden zich door op een speciale manier bestaande producten te maken of bestaande diensten te leveren. Een advocatenkantoor kan zich met arbeidsrechtelijke zaken bezighouden en zich daarbinnen specialiseren in collectieve ontslagzaken. Het voordeel is dat kennis kan worden opgebouwd die vaker gebruikt kan worden, zodat de kosten van kennisontwikkeling relatief laag zijn terwijl de opbrengsten (door het grote aantal herhaalzaken) relatief groot zijn. Er zijn ook advocatenkantoren die zich onderscheiden doordat zij 'on line'-diensten aanbieden: cliënten kunnen juridische informatie op de website vinden, stellen zelf brieven op en laten deze via e-mail door een advocaat verifiëren en aanpassen. De brief kan vervolgens door het advocatenkantoor worden verzonden. Op deze wijze kan tijd en geld worden bespaard, mits deze nieuwe vorm van dienstverlening goed georganiseerd wordt en de kennisinhoud op de website regelmatig wordt geactualiseerd.

Een adviesbureau als Berenschot heeft zich jarenlang kunnen handhaven door zich te afficheren als een degelijk, betrouwbaar en kwalitatief hoogwaardig bureau. Dat de kosten van de dienstverlening van Berenschot navenant hoog waren, namen cliënten op de koop toe omdat zij het gevoel hadden dat het bureau leverde wat het beloofde te leveren en omdat in de ogen van de cliënten de kwaliteit in het algemeen het hoge prijsniveau rechtvaardigde.

3.5 Cliëntgerichtheid

In het algemeen is het verstandig dat men zich concentreert op het behoud van bestaande cliënten.[55] Dat is gemakkelijker en minder kostbaar dan het werven van nieuwe cliënten. Immers, er hoeft niet meer geïnvesteerd te worden in het informeren en het over de streep trekken van de potentiële nieuwkomer. Bestaande cliënten worden des te interessanter als zij vervolgopdrachten opleveren. Op die manier kan een constante stroom van werk worden gegarandeerd en zijn eventuele nieuwe clienten een welkome aanvulling.

David Maister (1997)[56] heeft erop gewezen dat het belangrijk kan zijn om bestaande cliënten te 'pleasen' en zelfs te 'superpleasen'. Een etentje of een bootreis met een belangrijke klant kan tot veel vervolgwerk leiden. Toch is het niet altijd nodig om iets extra's te doen om bestaande cliënten binnen boord te houden. Het is in veel gevallen voldoende om goede kwaliteit te bieden in de diensten die op een gegeven moment geleverd worden: zorgen dat feitelijke gegevens in brieven kloppen, zorgen dat brieven op tijd de deur uit gaan, informeren of ze aangekomen zijn, enzovoort. Cliëntgerichtheid is niet alleen een zaak van de professional die in de frontlinie staat (de advocaat), maar ook van het secretariaat en de administratie die samen de 'backoffice' vormen. De omzet kan aanzienlijk worden vergroot als op dit gebied actief gezocht wordt naar verbeteringsmogelijkheden.

3.6 Toetsvragen

1. Hoe ziet het product-marktportfolio van uw eigen organistie of van een organisatie die u kent eruit?
2. Hoe ziet de BCG-matrix eruit?
3. Uit welke elementen bestaat het marketingplan van uw organisatie?
4. Wat zijn de vijf P's van marketing?
5. Wat wordt verstaan onder 'branding'?
6. Waarom is cliëntgerichtheid belangrijk voor advocatenkantoren?

---

55. Frank Kwakman, Professionals en acquisitie. Succesvol opdrachten verwerven in de zakelijke dienstverlening, Schoonhoven: Academic Service 2002.
56. D.H. Maister, Managing the Service Firm, New York: Free Press Paperbacks 1997.

4 Financieel Management

Bij de behandeling van Strategy Maps en Balanced Scorecards hebben we reeds aangegeven dat het financiële perspectief voor elke organisatie (dus ook voor advocatenkantoren) zeer belangrijk is. Voor de vennoten of partners gaat het vooral om de vraag of het bedrijf voldoende oplevert, met andere woorden of ze in de loop van het jaar hun salaris en aan het einde van het jaar een voldoende hoge winst krijgen uitbetaald. Veel aandacht van het management dient dan ook gericht te zijn op het plannen en bewaken van de geldstromen in de organisatie. In deze inleiding vatten we dit samen met het begrip financieel management.

In feite valt dit vakgebied uiteen in de volgende hoofdactiviteiten:
1. Strategische financiële planning
2. Organisatie van het financiële proces
3. Boekhouding
4. Budgetbeheer
5. Control

Aan elk van deze vier hoofdactiviteiten besteden wij in het kort enige aandacht. Wie hierover meer wil weten verwijzen wij naar standaardliteratuur op dit gebied. Bijzonder handig is de *Ondernemerswijzer,* die tweejaarlijks wordt uitgegeven door Kluwer en waarin de voor ondernemers en managers belangrijkste aspecten van het runnen van een bedrijf uitgebreid behandeld worden (Van Regt e.a., 2005).[57]

4.1 Strategische financiële planning

Op basis van bestaande gegevens (balans, winst-en-verliesrekening en dergelijke) en de strategische uitgangspunten van de organisatieleiding stelt het management een financieel plan op. Op hoofdlijnen wordt hierin aangegeven welke maatregelen genomen zullen worden om de continuïteit van de organisatie te garanderen en de financiële resultaten te verbeteren. Maatregelen kunnen zijn:
- Het verhogen of juist verlagen van de tarieven.
- Het verbeteren van de kostenstructuur ('cost management').
- Het verkopen of juist aankopen van bedrijfshuisvesting.
- Het aanschaffen van nieuwe computer- en netwerkapparatuur.
- Het uitbesteden of juist intern opbouwen van financiële administratie, personeelsmanagement, automatisering enzovoort.

57. B. van Regt e.a., Ondernemerswijzer 2005/2006, Den Haag: Sdu Uitgevers 2005.

Een belangrijke factor die de gezondheid van het bedrijf bepaalt, is de omvang van het eigen vermogen. Het kan wenselijk zijn om deze te vergroten. In dat geval kunnen schulden bij de bank versneld worden afgebouwd. Ook kan het raadzaam zijn minder salaris aan de vennoten of partners uit te betalen en zo meer kapitaal in het bedrijf te laten zitten. Een andere maatregel kan zijn het eigen bedrijfspand te verkopen en eventueel terug te leasen zodat geld vrij wordt gemaakt om de financiële situatie (d.w.z. de verhouding eigen vermogen/vreemd vermogen) te verbeteren.

Het kan ook nodig zijn een actiever debiteurenbeheer te voeren. Cliënten die te lang wachten met betalen worden sneller gemaand en in geval van niet-betaling van aanzienlijke bedragen wordt eerder de deurwaarder ingeschakeld. Aan de andere kant kan de termijn voor het betalen van facturen aan crediteuren (leveranciers en andere schuldeisers) wellicht wat worden opgerekt. Als de termijn van een maand naar twee maanden wordt uitgebreid, scheelt dit op korte termijn een maand minder kosten en kan gedurende een maand extra rente worden verkregen op het nog aanwezige geld.

Het laatstgenoemde aspect is misschien minder strategisch dan het eerste. In strategisch opzicht is het belangrijk om goed te onderscheiden welke geldstromen in de onderneming aan de orde zijn en hoe de financiële positie kan worden versterkt door tijdig en adequaat in die geldstromen in te grijpen. De meeste grotere bedrijven beschikken voor dit doel over een eigen controller of controleafdeling. Kleinere organisaties zullen dit in de regel uitbesteden aan een accountant of assistent-accountant (AA). Van de controller of accountant mag worden verwacht dat deze niet alleen de boekhouding controleert en de jaarcijfers produceert, maar ook dat deze met voorstellen komt hoe de financiële positie van de organisatie versterkt kan worden.

4.2 Organisatie van het financiële proces

Het behoort ook vaak tot de taak van de controller of accountant om het financiële proces te organiseren. Hiertoe behoren in het algemeen de volgende activiteiten:

- Het organiseren van de boekhouding (rekeningschema, procedures van factuurbehandeling, inning en doorsluizen naar diverse rekeningen van binnenkomende gelden).
- Periodiek produceren van overzichten die als managementinformatie gebruikt kunnen worden en waarin trends zichtbaar zijn en achtergronden/oorzaken van bepaalde ontwikkelingen aangegeven worden.
- Het regelmatig nemen van steekproeven in de lopende administratie ter bewaking van de kwaliteit (foutencontrole, rechtmatigheidsonderzoek).
- Invoeren en onderhouden van een budgetteringssysteem: er worden budgetverantwoordelijken aangewezen die de bevoegdheid krijgen een deel van het beschikbare budget uit te geven en hierover verantwoording af te leggen aan de eindverantwoordelijke op financieel gebied.
- Het opstellen van maatregelen waardoor maximaal geprofiteerd wordt van mogelijkheden inzake bankrentes, verzekeringspremies, oudedagsreserves, fiscale voordelen, subsidies enzovoort.

4.3 Boekhouding

In de boekhouding worden de volgende taken uitgevoerd:
1. Debiteurenbeheer: het innen van facturen bij cliënten en andere geldverschaffers.
2. Crediteurenbeheer: het betaalbaar stellen van facturen van leveranciers en andere externe partijen die geld vorderen bij het bedrijf.
3. Het boeken van alle veranderingen in het grootboek.
4. Het periodiek opstellen van een balans, een winst-en-verliesrekening en bijbehorende grootboekoverzichten.

De advocatuur is in hoge mate een urenbedrijf. Van elke geleverde dienst wordt bijgehouden hoeveel tijd eraan besteed is tegen welk tarief ('uurtje factuurtje'). Vervolgens wordt aan de cliënt een factuur gestuurd waarop vermeld wordt welke werkzaamheden zijn verricht en welke kosten hieraan verbonden zijn. Meestal houden de professionals zelf de uren bij en deze worden door de administratie verwerkt tot overzichten van vorderingen per cliënt. Vervolgens wordt per cliënt een factuur gemaakt waarin de te vorderen bedragen gedeclareerd worden. De administratie houdt bij wanneer de factuur verzonden is en wanneer zij voldaan wordt. Binnenkomende en uitgaande boekingen van de bank, van de Belastingdienst enzovoort worden in de boekhouding verwerkt.

Op basis van de gegevens die de boekhouding bijhoudt, kan aan het eind van het jaar een overzicht worden gegeven van de inkomsten en uitgaven in het afgelopen jaar en kan op elk moment de financiële situatie van het bedrijf worden aangegeven.

4.4 Control

De controller of accountant controleert periodiek de resultaten van de boekhouding (balans, winst-en-verliesrekening en grootboekoverzichten) en stelt op basis hiervan de jaarrekening op. Hierbij gaat de controller na of de boekstukken juist zijn geboekt, dat wil zeggen onder het juiste rekeningnummer met het juiste bedrag, en of de overzichten kloppen. Als alles in orde is en de jaarrekening is opgesteld, kan het financiële jaar worden afgesloten.

De controller kijkt naar een aantal ken- en stuurgetallen die vanuit de boekhoudgegevens worden berekend en die een indicatie geven over de gezondheid van de financiële situatie van de organisatie. De volgende ken- en stuurgetallen worden veel gebruikt (De Regt e.a., 2005):
- Liquiditeitsratio (het vermogen om kortlopende schulden af te kunnen lossen): de verhouding tussen enerzijds liquide middelen (geld op de bank, in kas, enz.) en voorraden (bij advocatenkantoren vrijwel nihil) en anderzijds korte termijnverplichtingen (facturen die nog betaald moeten worden). Een gezonde verhouding is 3 : 2.
- Solvabiliteit (het vermogen om alle bedrijfsschulden af te kunnen lossen als alle bezittingen, vorderingen en reserves te gelde worden gemaakt): de verhouding tussen eigen vermogen (kapitaal, reserves enz.) en totaal vermogen (eigen ver-

mogen + vreemd vermogen in de vorm van hypotheken, leningen bij de bank, enz.), uitgedrukt in een percentage. Banken eisen gewoonlijk een solvabiliteitspercentage tussen 25 en 40%.
- Rentabiliteit (het vermogen om in de toekomst winst te maken en alle verplichtingen te kunnen nakomen), de verhouding tussen het netto-exploitatieresultaat, dat wil zeggen de winst die overblijft van de omzet na aftrek van alle kosten (inclusief de ondernemersbeloning), enerzijds en het eigen vermogen anderzijds, uitgedrukt in een percentage. Over de winst moet nog belasting worden geheven. De onderneming is succesvol als de winst meer bedraagt dan de obligatierente.
- Continuïteit (het vermogen om in de toekomst langlopende verplichtingen te kunnen blijven nakomen, bijv. het aflossen van de hypotheek van een bedrijfspand of het uitkeren van pensioenuitkeringen uit een interne pensioenreservering): de verhouding tussen vaste of constante vlottende activa (de kostprijs van gebouwen, apparatuur, voorraden enz.) enerzijds en het niet-kortlopende schuldendeel van de passiva (eigen vermogen, reserveringen en langlopende schulden) anderzijds. Deze verhouding moet minimaal 1 : 1 zijn. Het niet-langlopende deel van de vlottende activa moet uit de kortlopende schulden gefinancieerd kunnen worden.

Deze ken- en stuurgetallen geven de controller (en dus ook het management) handvatten om nieuwe maatregelen te bedenken en een nieuwe financiële planning op te stellen voor de volgende periode.

4.5 Budgetbeheer

Het behoort bij uitstek tot de taak van het management om de budgetten te beheren die tot het eigen taakgebied gerekend kunnen worden. Dit kan uitermate beperkt zijn, bijvoorbeeld alleen een budget voor de aanschaf van pc's en kantoormateriaal. Het kan ook zeer uitgebreid zijn en bijna het hele spectrum van elementen van de bedrijfshuishouding omvatten, bijvoorbeeld het beheer van (een deel van) het huisvestings-, het activiteiten- en het loonkostenbudget.

Vaak worden lijnmanagers (afdelingshoofden, chefs) verantwoordelijk gemaakt voor een onderdeel van de organisatie en krijgen zij ook de verantwoordelijkheid toebedeeld voor het budgetbeheer van dat onderdeel. Om hun verantwoordelijkheid te kunnen waarmaken hebben de managers inzicht nodig in hoe de financiële huishouding in elkaar steekt, welke processen hierin lopen, welke taken de manager dient te vervullen, de rol die anderen hierbij spelen, enzovoort. Om hier meer inzicht in te verkrijgen, is het noodzakelijk dat de manager zich hier verder in verdiept. Wij volstaan hier met het geven van enkele voorbeelden. Voor meer informatie verwijzen wij u naar de uitgebreide bedrijfseconomische literatuur.

Belangrijk is dat managers in staat zijn inzicht te verwerven in hoe de kosten verdeeld zijn. In de regel is het mogelijk de kosten die in de organisatie gemaakt worden toe te rekenen aan afdelingen of andere plekken in de organisatie waar ze daadwerkelijk gemaakt zijn. Stel dat bijvoorbeeld een opleiding is opgezet, waar tien medewerkers aan deelnemen. In totaal kost de opleiding € 20.000. Stel dat vier medewerkers werkzaam zijn bij afdeling A en zes bij afdeling B. Dan kan € 8000 van de kosten worden toegerekend aan afdeling A en € 12.000 aan afdeling B.

4.6 Kostenverdeelstaat

Een handig hulpmiddel voor het analyseren en beheren van kosten is de zogenoemde kostenverdeelstaat. Wij geven hiervan een tweetal voorbeelden:

1. Het verdelen van kosten over kostenplaatsen (organisatieonderdelen die over eigen budgetten beschikken) en kostensoorten (kosten van activiteiten).

Tabel 25. Voorbeeld van een kostenverdeelstaat (kostenplaatsen, kostensoorten)

Kostenplaatsen: / Kostensoorten:	Productie:	Verkoop:	Staf:	Directie:	Totaal:
Loonkosten	3.500.000	1.100.000	600.000	300.000	5.500.000
Opleidingskosten	200.000	100.000	40.000	10.000	350.000
Huisvestingskosten	700.000	200.000	60.000	40.000	1.000.000
Marketingkosten	0	200.000	0	50.000	250.000
Operationele kosten	1.100.000	400.000	300.000	100.000	1.900.000
Totaal:	5.500.000	2.000.000	1.000.000	500.000	9.000.000

2. Het toedelen van kosten aan kostendragers (producten of diensten van een afdeling) en kostensoorten (kosten van activiteiten).

Tabel 26. Voorbeeld van een kostenverdeelstaat (kostensoorten/kostendragers)

Kostensoorten: / Kostendragers:	(Lesgeld)	(Middelen)	(Lokalen)	(Docenten)	(Reis/verbl.)	(Overige)	Totaal:
43.1 (Vaktechnisch)	22.500	8.000	3.500	12.800	2.600	2.400	103.600
43.2 (Leidinggeven)	6.000	0	0	0	800	0	58.600
43.3 (Algemeen)	13.800	6.100	3.700	9.600	4.800	700	90.500
43.4 (PC-cursus)	7.300	14.500	2.400	16.300	1.500	1.900	95.700
43.5 (Automat.prod.)	45.900	23.600	12.700	31.900	15.800	2.700	184.400
43.6 (Overige)	8.400	1.200	800	2.200	700	1.300	66.400
Totaal:	103.900	53.400	23.100	72.800	26.200	9.000	340.200

Bron: Dijkstra 2004[58]

58. J.H. Dijkstra, Rendement van P&O-activiteiten, in: J.H. Dijkstra (ed.), Rendement uit P&O, cahier 7, Amsterdam: WEKA 2003.

Uit een kostenverdeelstaat kan de manager in één oogopslag zien hoe de kosten verdeeld zijn. Vervolgens kan hij beslissingen nemen om bijvoorbeeld tot een andere verdeling van de kosten te komen. Uit de eerste kostenverdeelstaat blijkt bijvoorbeeld dat de verhouding directe kosten (direct waarde toevoegende afdelingen zoals productie en verkoop) en indirecte kosten (ondersteunende afdelingen zoals staf en directie) 7,5 : 1,5 is. Dit betekent dat de indirecte kosten 1,5/9 x 100% = 0,167 x 100% = 16,7% bedragen. Dit getal kan vergeleken worden met benchmarkgegevens van vergelijkbare bedrijven. Als het percentage indirecte kosten te hoog is, kunnen maatregelen genomen worden om deze terug te dringen.

4.7 KOSTEN-BATENANALYSE

Naast inzicht in het hoe en waarom van de kostenverdeelstaat is het ook belangrijk dat een manager een kosten-batenanalyse kan maken. Door van verschillende varianten de te verwachten kosten en baten te schatten, is het mogelijk de beste variant te kiezen. Een voorbeeld van een kosten-batenanalyse volgt hierna:

Tabel 27. Voorbeeld van een kosten-batenanalyse

	Medewerkers individueel naar cursus, alleen cursuskosten vergoeden		**Alle cursussen uitbesteden aan een extern opleidings-instituut**		**Alle cursussen zelf organiseren**	
	Baten	**Lasten**	**Baten**	**Lasten**	**Baten**	**Lasten**
Verletkosten				100.000		100.000
Cursuskosten		60.000		40.000		20.000
Docentkosten						20.000
Organisatiekosten				5.000		10.000
Reiskosten				5.000		
Hogere productiviteit	120.000		240.000		300.000	
Totaal:	*120.000*	*60.000*	*240.000*	*150.000*	*300.000*	*150.000*
Resultaat:		*60.000*		*90.000*		*150.000*

Conclusie: zelf organiseren levert het beste resultaat op

Bron: Dijkstra 2004

4.8 RETURN ON INVESTMENT (ROI)

Een financieel gegeven dat steeds meer aan belang wint, is de zogenoemde 'Return on Investment', afgekort ook wel ROI genoemd. Het hiervoor genoemde kosten-batenoverzicht kan hiervoor gebruikt worden.

In de eerste variant (medewerkers individueel naar cursus, alleen cursuskosten vergoeden) kan de ROI als volgt berekend worden: ROI% = resultaat/lasten x 100% = 60.000/60.000 x 100% = 100%. Van de tweede variant (alle cursussen uitbesteden aan een extern opleidingsinstituut): ROI% = 90.000/150.000 x 100% = 0,60 x 100% = 60%. Van de derde variant (alle cursussen zelf organiseren): ROI% = 150.000/150.000 x 100% = 100%. Op grond van deze gegevens kan worden geconcludeerd dat de tweede variant het minst profijt oplevert en dat er qua profijtelijkheid geen verschil is tussen de eerste en de derde variant.

4.9 Concluderende opmerking

Het voorgaande maakt duidelijk dat financieel management een belangrijk onderdeel is van de sturing van de organisatie. Het is derhalve van groot belang hier aandacht aan te besteden. Om die reden dienen elke manager en elke manager in spe zich te bekwamen in dit onderdeel van het werk. Dit geldt niet alleen voor managers in productiebedrijven en andere traditionele profitorganisaties, maar ook voor managers in advocatenkantoren en andere professionele organisaties. Ook een advocatenkantoor moet voldoende winstgevend zijn, zodat voldoende geld beschikbaar is om te investeren in nieuw personeel, verbeterde huisvesting of een nieuw computernetwerk en zodat er na de investeringen nog genoeg geld overblijft om te verdelen onder de partners of de aandeelhouders van het kantoor. Van managers van elk commercieel bedrijf wordt verwacht dat zij de financiële resultaten van het bedrijf zo veel mogelijk weten te optimaliseren, zodat het rendement op het geïnvesteerd vermogen zo groot mogelijk is.

4.10 Toetsvragen

N.B.: Als u niet bij een bedrijf werkt, kies dan een bedrijf waar u vroeger gewerkt hebt, bijvoorbeeld als stagiaire, of dat u heel goed kent.

1. Welke maatregelen zouden in de strategische financiële planning van uw organisatie genomen moeten worden?
2. Welke stappen zijn nodig om het financiële proces te organiseren?
3. Welke taken worden binnen de boekhouding vervuld?
4. Wat zijn de vier meest gebruikte financiële ken- en stuurgetallen waarop gewoonlijk gestuurd wordt binnen bedrijven?
5. Hoe scoort uw organisatie op deze vier kengetallen?
6. Op welke wijze kan het budgetbeheer in juridische dienstverleningsorganisaties het best worden geregeld?
7. Maak een kosten-batenanalyse voor een investering die in het recente verleden binnen uw organisatie heeft plaatsgevonden.
8. Maak een kostenverdeelstaat voor een project of voor een reeks activiteiten.
9. Hoeveel bedraagt de Return on Investment (ROI) van deze investering?

5 Operationeel Management

Het managen van de operatie in een bepaald domein behelst in ieder geval de volgende taken:
- Vertalen van de strategie
- (Her)beschrijven van de gewenste processen (procesmanagement)
- (Her)inrichten van de organisatie
- Veranderen van processen of organisatie ('change management')
- Het ontwikkelen en benutten van formele en informele netwerken
- Opzetten en managen van diverse projecten (projectmanagement)
- Aansturen en begeleiden van medewerkers bij de uitvoering van hun werk
- Monitoring en evaluatie van de resultaten

5.1 Vertalen van de strategie naar het operationele proces

Over strategie zelf is elders in dit boek al het nodige geschreven. Hier gaan we nader in op de vertaalslag van de strategie naar de dagelijkse praktijk.

De eerste stap die in het kader van operationeel management gezet moet worden is het vertalen van de visie of strategie van de organisatie naar doelstellingen, de gewenste structuur en de processen van de operatie. In de regel gebeurt dit via een operationeel plan. De stappen die hierbij ondernomen moeten worden, zetten wij hier in het kort uiteen:

1. Doelstellingen van de organisatie vertalen in operationele doelstellingen van de specifieke onderdelen of een specifiek onderdeel van de organisatie, bijvoorbeeld een sectie of stafafdeling. Bij het opstellen van het plan dient gebruik te worden gemaakt van de doelstellingen die SMART geformuleerd dienen te worden: Specifiek, Meetbaar, Acceptabel (Ambitieus), Realistisch en Tijdgebonden (in Tijd afgebakend). Als het kan dienen de doelstellingen gekwantificeerd te worden in de vorm van targets: bijvoorbeeld het aantal dossiers dat gemiddeld in een week wordt afgehandeld, eventueel uitgesplitst naar complexiteitsniveaus.
2. Ontwikkelen van activiteiten en processen waarmee de operationele doelstellingen bereikt kunnen worden. Ook hier verdient het aanbeveling te streven naar kwantificering, bijvoorbeeld in procesindicatoren zoals de tijd die gemiddeld nodig is om bepaalde handelingen uit te voeren bij de behandeling van een dossier.
3. De taken en functies bepalen die nodig zijn om de activiteiten en processen uit te voeren. Het gaat hier om het benoemen van de soorten capaciteiten die vereist zijn.
4. De hoeveelheid bepalen die nodig is van elke soort capaciteit, meestal uitgedrukt in het aantal fulltime formatieplaatsequivalenten (fte's).

5. Aangeven welke wijzigingen in het jaar kunnen optreden en wat dat voor de vereiste en aanwezige capaciteiten betekent.
6. Overige informatie geven, zoals over de materiële middelen die zullen worden ingezet, wijzigingen qua huisvesting, te verwachten ontwikkelingen op langere termijn, veranderingen in de besturing van de organisatie, enzovoort.

Het is van belang om periodiek, bijvoorbeeld jaarlijks, een operationeel plan op te stellen voor elk hoofdonderdeel van de organisatie en hier de betrokken geledingen bij in te schakelen. Er dient gebruik te worden gemaakt van alle informatie die beschikbaar is: gegevens van de organisatie van het afgelopen jaar, gegevens van overheidsinstanties, plannen voor de toekomst, enzovoort. Het operationeel plan geeft houvast aan alle betrokkenen en kan gebruikt worden als hulpmiddel in de dagelijkse aansturing van de medewerkers en het monitoren van de resulaten in de periode waarin het plan wordt uitgevoerd. Door kengetallen te verzamelen wat betreft targets en procesindicatoren kan de manager nagaan hoe de feitelijke situatie is en op welke punten eventueel moet worden bijgestuurd.

De aldus verkregen informatie kan worden benut als concreet handvat voor tussentijdse functionerings- en coachingsgesprekken met medewerkers en het opstellen van formele beoordelingen aan het eind van de periode waarin het operationeel plan is uitgevoerd.

5.2 Procesmanagement

Een van de belangrijkste taken die het management heeft, is het vertalen van de visie en strategie van de organisatie in transparante, effectieve en efficiënte processen. Als er al bestaande processen zijn, dan dienen deze regelmatig te worden doorgelicht en eventueel te worden aangepast als de visie en strategie van de organisatie zijn gewijzigd.

Het beschrijven van processen is nodig omdat het klanten duidelijkheid geeft hoe bepaalde producten of diensten geleverd zullen worden en wat zij te verwachten hebben. Procesmanagement maakt het mogelijk sneller in te spelen op veranderde wet- en regelgeving. Bovendien maken procesbeschrijvingen het mogelijk beter de kwaliteit te bewaken: per stap kan worden vastgesteld of deze effectief en efficiënt wordt uitgevoerd. Dit gebeurt aan de hand van kengetallen. Procesbeschrijvingen kunnen goed worden gebruikt als het bedrijf gecertificeerd wil worden in het kader van bijvoorbeeld ISO 9001. Procesmanagement geeft meer duidelijkheid binnen de organisatie: taken, bevoegdheden en verantwoordelijkheden kunnen beter worden geregeld en de een weet van de ander waar hij of zij mee bezig is. Medewerkers weten wat er van hen wordt verwacht. Procesbeschrijvingen maken het mogelijk de kennis- en informatie-infrastructuur beter in te richten en te benutten. Je kunt ze gebruiken om nieuwkomers sneller en beter vertrouwd te maken met de gewenste manier van werken in de organisatie.

Een procesbeschrijving beschrijft de volgende zaken:
1. *Wat* er gedaan moet worden (de stappen die gezet moeten worden).
2. Door *wie* het wordt uitgevoerd.
3. De reden *waarom* het noodzakelijk is.
4. De middelen *waarmee* het kan worden uitgevoerd.
5. *Wanneer* het klaar moet zijn.
6. *Waar* het moet plaatsvinden.

Processen dienen zodanig ingericht te worden dat ze het meest effectief en efficiënt kunnen worden uitgevoerd, dat ze zo min mogelijk stappen kennen (dus zo min mogelijk overdrachtsmomenten). De doorlooptijden van processen dienen zo kort mogelijk gehouden te worden. Dit is niet alleen in het belang van de organisatie (de meeste opbrengst tegen de laagst mogelijke kosten), maar ook in het belang van klanten die immers zo snel mogelijk geholpen willen worden. Een en ander mag niet ten koste gaan van de kwaliteit. Hiermee dient bij de inrichting van processen rekening gehouden te worden.

5.3 Het (her)inrichten van de organisatie

Als de processen (opnieuw) in kaart zijn gebracht, kan op basis daarvan de structuur van de organisatie worden ontworpen of gewijzigd. Als je weet hoeveel tijd en inspanning nodig is om bepaalde stappen uit te voeren, kan deze informatie gebruikt worden om de vereiste personele capaciteit in te schatten en de benodigde hulpmiddelen te begroten. Je weet precies hoeveel van welke deskundigheid je nodig hebt.

Een bevriende advocaat bracht dit als volgt onder woorden. Je moet altijd proberen zo veel mogelijk tijd te besteden aan werk waar je goed in bent en waar je het meeste geld mee verdient. Ik ben er altijd op uit om bepaalde onderdelen in het werk die ook door minder hoog geschoolde en dus goedkopere collega's kunnen worden uitgevoerd, zodanig te organiseren dat die onderdelen door hen gedaan kunnen worden. Bepaalde brieven of pleidooien heb ik op de tekstverwerker staan en mijn collega's hoeven alleen nog bepaalde cliëntgegevens in te voeren en hier en daar extra passages toe te voegen die betrekking hebben op de specifieke situatie. Zo haal ik het meeste rendement uit mijn kostbare tijd en kan ik relatief veel cliënten bedienen.

Op basis van de uit de processtappen voortkomende taken kan het functiegebouw worden ingericht: welke functies zijn er, van welk niveau (welke vooropleiding is vereist?), in welke onderlinge hiërarchische samenhang, enzovoort? Per processtap wordt in kaart gebracht hoeveel capaciteit daarvoor op jaarbasis nodig is. Dit resulteert in een schatting van het aantal fte's (fulltime formatieplaatsen) dat per functie nodig is. Een en ander kan worden uitgewerkt tot een organisatieschema waarin de diverse geledingen worden onderscheiden en de onderlinge relaties zichtbaar worden gemaakt.

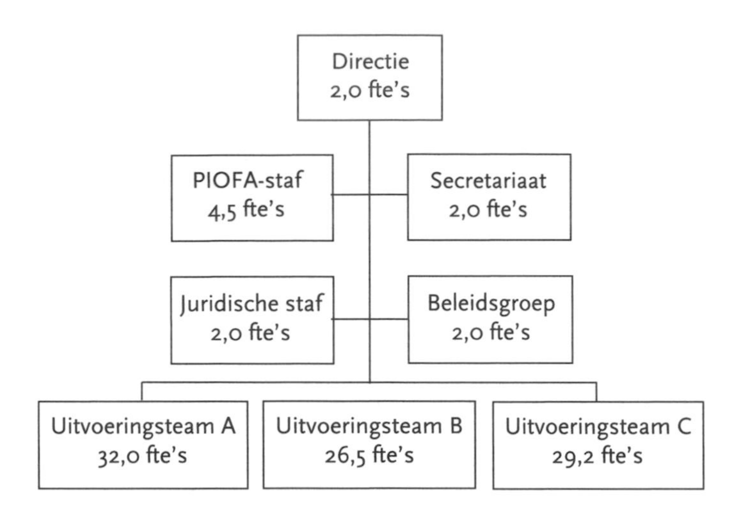

Figuur 8. Voorbeeld van een organisatieschema

Wijziging in de processen kan aanpassing van de vereiste capaciteit (formatie) en de structuur van de organisatie noodzakelijk maken. Zo kan het bijvoorbeeld nodig zijn om een balie in te richten als er relatief veel cliënten langskomen op het kantoor. Omgekeerd kan het ook nodig zijn een bestaande balie op te heffen als er nauwelijks nog cliënten het kantoor bezoeken.

5.4 'Change management'

Managers (ook van advocatenkantoren) krijgen regelmatig te maken met veranderingen in de omgeving waar de organisatie op moet reageren. Dat kan een wijziging zijn in de samenstelling van het cliëntenbestand als gevolg van een wetswijziging (bijv. verscherping van de asielwetgeving) of de invoering van nieuwe technologie (bijv. de opkomst van internet). In de regel zijn organisaties sterk reactief als het gaat om het inspelen op veranderingen in de omgeving: zij reageren pas als een externe verandering een feit is en de noodzaak om actie te ondernemen onvermijdelijk is geworden. De leiding van een organisatie kan met minder problemen de veranderingen doorvoeren als die in een vroegtijdig stadium worden ingezet en er zo voldoende tijd beschikbaar is om de noodzakelijke wijzigingen in organisatie, procedures en inzet van personeel doordacht en met de nodige zorgvuldigheid door te voeren. Bij het doorvoeren van de veranderingen kan gebruik worden gemaakt van de inzichten van een tak van wetenschap die reeds in de jaren zestig ontstaan is en die wordt aangeduid met de term 'planned change'.[59] Uitgangspunt van deze benadering is dat je een veranderingsproces moet opknippen in deelprocessen rondom concrete, haalbare doelstellingen en dat je vervolgens een team aan het

59. R. Lippitt, J. Watson and B. Westley, The Dynamics of Planned Change, New York: Harcourt, Brace & World 1958. W. Bennis, K. Benne and R. Chin, The Planning of Change. Readings in the Applied Behavioral Science, New York: Holt, Rinehart & Winston 1962.

werk zet om de doelstellingen binnen een afgebakend tijdsbestek en op planmatige wijze te realiseren. Per deelprobleem wordt een plan van aanpak gemaakt en wordt de inzet van mensen en middelen geregeld. Er is een regisseur (coördinator) die de verschillende deelprocessen op elkaar afstemt en zorgt dat het veranderingsproces slaagt. Managers van organisaties in de professionele juridische dienstverlening dienen in staat te zijn veranderingen doelgericht en planmatig door te voeren.

Lewin (1947)[60] onderscheidt drie stadia in het veranderingsproces waarmee veranderaars rekening moeten houden: 'unfreezing – moving – refreezing'. In het eerste stadium ('unfreezing') is de energie van de veranderaars erop gericht mensen los te weken van hun standaardopvattingen over hoe het werk georganiseerd moet zijn en uitgevoerd moet worden. Als de bereidheid om te veranderen een aanvaardbaar niveau heeft bereikt is de volgende stap het verder invullen van de verandering samen met betrokkenen ('moving'). In dit stadium zal nog af en toe een stap terug gezet moeten worden, bijvoorbeeld omdat mensen misschien toch terugschrikken als consequenties van de verandering duidelijker worden. Als de verandering in grote lijnen helder is en door betrokkenen grosso modo is geaccepteerd, kan zij formeel worden doorgevoerd en worden geborgd in nieuwe procedures.

Het is belangrijk goed te analyseren op welk niveau de weerstand zich voordoet. Hierbij kan gebruik worden gemaakt van Piderits onderscheid tussen weerstand als cognitieve (rationele) toestand, weerstand als emotionele toestand en weerstand als gedrag.[61] In het eerste geval van cognitieve/rationele weerstand dient de aandacht gericht te zijn op het geven van informatie en het voeren van inhoudelijke discussies met degenen die weerstand uitoefenen. In het tweede geval van emotionele weerstand zal de manager proberen duidelijk te maken dat hij de gevoelens begrijpt, dat hij mensen in de gelegenheid stelt hun gevoelens te uiten en dat hij veel aandacht besteedt aan de sociaal-emotionele opvang van betrokkenen. In het derde geval van weerstand op gedragsniveau kan dikwijls volstaan worden met het nemen van corrigerende maatregelen, heldere besluitvorming en mensen de ruimte geven om het gewenste gedrag aan te leren en te vertonen.

Belangrijke voorwaarde voor het welslagen van veranderingsprocessen is de mate waarin het management erin slaagt weerstanden tegen verandering op te sporen en weg te nemen (Coch & French, 1948)[62] of – positief geformuleerd – de gereedheid ('readiness') te vergroten om de verandering te accepteren en door te voeren (Jacobson, 1957;[63] Armenakis, Harris & Field, 1999).[64] Armenakis en anderen

60. K. Lewin, Frontiers in Group Dynamics. Concept, Method and Reality in Social Science, Human Relations 1947, 1, p. 5-41.
61. S.K. Piderit, Rethinking resistance and recognizing ambivalence: A multidimensional view of attitudes toward an organizational change, Academy of Management Review, 2000 (25), nr. 4, p. 783-794.
62. L. Coch and J. French, Overcoming Resistance to Change, Human Relations 1948, 1, p. 512-532.
63. E.H. Jacobson, The effect of changing industrial methods and automation on personnel. Paper presented at the Symposium on Preventive and Social Psychiatry. Washington 1957.
64. A.A. Armenakis, S.G. Harris and H.S. Field, Making change permanent: A model for institutionalizing change interventions, Research in Organizational Change and Development 1999, 12, p. 97-128.

onderscheiden vijf componenten die de gereedheid van medewerkers voor veranderingen positief kunnen beïnvloeden:
1. Vertrouwen in jezelf, dat je erin slaagt de verandering te laten werken.
2. Steun van de leiding en andere sleutelfiguren in de organisatie.
3. De mate waarin betrokkenen een duidelijk verschil zien tussen de huidige en de nagestreefde, nieuwe situatie.
4. De mate waarin de voorgestelde verandering als de meest geschikte oplossing voor de problemen wordt gezien.
5. De mate waarin betrokkenen de verandering als nuttig voor henzelf ervaren ('what's in it for me').

In de jaren zestig en begin jaren zeventig is het 'planned change'-denken geëvolueerd in de richting van innovatie: het vermogen van organisaties om nieuwe ontwikkelingen op gang te brengen, bijvoorbeeld nieuwe producten of diensten op de markt te brengen of hun processen ingrijpend te vernieuwen. In de anglosaksische literatuur wordt dit ook wel aangeduid met de term 'self renewal'. Over innovatie is veel geschreven, onder andere door Burns en Stalker[65] en Rogers & Schoemaker.[66] Uitgangspunt is dat een organisatie of samenleving die zichzelf niet regelmatig vernieuwt uiteindelijk ten dode opgeschreven is. Als voorbeeld wordt vaak 3M naar voren gebracht, dat zich oorspronkelijk voornamelijk bezighield met chemische processen. In de research zijn onder andere het plakband en de bekende post-its bedacht en uiteindelijk heeft 3M daar veel geld mee verdiend en is het bedrijf enorm gegroeid. Een recenter voorbeeld is IBM, dat zich tot diep in de jaren negentig nog voornamelijk bezighield met hardware-productie en in de afgelopen tien jaren een verschuiving heeft doorgemaakt in de richting van software en dienstverlening, inclusief consultancy. Een belangrijke ontwikkeling voor de advocatuur kan internet zijn: sommige kantoren bieden al on line juridische hulp aan en gebruiken hun website om cliënten aan te trekken rond specifieke vraagstukken (bijv. het indienen van financiële claims bij letselschade voor ondernemers).
Een belangrijk element van innovatie is 'prototyping': het in een veilige, afgeschermde omgeving ontwikkelen van een nieuw product of een nieuwe dienst en deze vervolgens in diverse stadia doorontwikkelen en introduceren. Beide laatstgenoemde processen maken deel uit van het zogenoemde implementatieproces: hierbij gaat het niet alleen om het invoeren van een innovatie maar ook om het verankeren ervan. Verankering vereist het aanpassen van de structuur, aanwijzen wie verantwoordelijk is voor het doorvoeren en eventueel aanpassen van de innovatie, het veranderen van procedures rondom de innovatie, enzovoort.

Een ander begrip uit de literatuur dat belangrijk is voor managers, zeker in kennisintensieve organisaties, is het door Peter Senge's beschreven concept van de leren-

65. T. Burns and G.M. Stalker, The Management of Innovation. London: Tavistock Publications Ltd 1961.
66. E.M. Rogers and F.F. Schoemaker, Communication of Innovations, New York: The Free Press 1971.

de organisatie).[67] Senge onderscheidt vijf disciplines die in voldoende mate ontwikkeld moeten zijn, wil de organisatie voldoende responsief kunnen zijn op veranderingen in de omgeving:

- Systeemdenken: de samenhang zien tussen verschillende elementen.
- Persoonlijk meesterschap: het beheersen van de inhoud van het werk (o.a. door het opdoen van kennis en vaardigheden die nodig zijn).
- Mentale modellen: een goed begrip van hoe de organisatie werkt, wie de klanten zijn en hoe de interne processen verlopen. Senge werkt met schema's ('graphs') waarin de relaties tussen diverse elementen van mentale modellen worden aangegeven en die in één oogopslag duidelijk maken hoe zaken in elkaar zitten.
- Het opbouwen van een gedeelde visie: helderheid waar de organisatie goed in is (of wil zijn) en in welke richting zij zich ontwikkelt.
- Teamleren: het uitwisselen van ideeën en ervaringen helpt de individuele teamleden om hun werk beter te doen.

Het gaat niet alleen om het leren op zich ('first level learning'), maar ook om het leren organiseren van leerprocessen die leren mogelijk maken ('second level learning') en uiteindelijk ook om het leren creëren van een organisatiestructuur en een set organisatorische condities die het leren optimaal bevorderen ('second level' of 'organizational learning').

Argyris en Schön (1974 en 1978)[68] hebben een ander onderscheid gemaakt dat belangrijk is voor een goed begrip van het leren binnen en door organisaties. Zij onderscheiden 'single-loop learning', leren van feiten en gebeurtenissen en hoe deze beïnvloed kunnen worden, en 'double loop learning', leren welke principes en uitgangspunten de feiten en gebeurtenissen sturen en hoe die principes en uitgangspunten veranderd kunnen worden.

Het concept van de lerende organisatie is in de jaren negentig doorontwikkeld in de richting van kennismanagement, een must voor kennisintensieve organisaties zoals advocatenkantoren bij uitstek zijn. Goede starters op dit gebied zijn Angelsaksische boeken van Nonaka en Takeuchi (1995)[69] en Davenport en Prusak (1998)[70] en Nederlandse boeken van Weggeman (1997 en 2000)[71] en Dijkstra (2001).[72]

---

67. P. Senge, The Fifth Discipline: The Art and Practice of the Learning Organization, New York: Currency Doubleday 1990.
68. C. Argyris and D. Schön, Theory in practice: Increasing professional effectiveness, San Francisco: Jossey-Bass 1974. C. Argyris and D. Schön, Organizational learning: A theory of action perspective. Addison Wesley, Reading, 1978.
69. I. Nonaka and H. Takeuchi, The Knowledge-Creating Company: How Japanese Companies Create the Dynamics of Innovation. Oxford: Oxford University Press 1995.
70. T.H. Davenport and L. Prusak, Working Knowledge: How Organizations Manage What They Know, Boston: Harvard Business School Press 1998.
71. M. Weggeman, Kennismanagement. Inrichting en besturing van kennisintensieve organisaties, Schiedam: Scriptum 1997. M. Weggeman, Kennismanagement: de praktijk, Schiedam: Scriptum 2000.
72. J. Dijkstra, De kunst & kunde van kennismanagement, Schiedam: Scriptum 2001.

Kenmerkend voor kennismanagement is dat op systematische wijze gepoogd wordt invloed uit te oefenen op de volgende processen:

- Ontwikkelen van mentale modellen ('graphs') die onderscheid helpen te maken tussen wat belangrijk en wat minder belangrijk is.
- Verzamelen en bewerken van informatie zodat deze snel en effectief in de organisatie verspreid, geabsobeerd en gebruikt kan worden.
- Ontwikkelen van kennis: gestructureerde informatie die gebruikt kan worden om dagelijkse processen te verbeteren.
- Verspreiden van kennis naar die onderdelen en personen in de organisatie die er mee moeten werken. Hier hoort ook een goede instructie bij hoe de kennis toegepast kan worden.
- Monitoren en evalueren van het gebruik zodat inzicht wordt verkregen in wat ontbreekt of niet duidelijk is of wat niet goed toepasbaar blijkt te zijn en doorontwikkeld moet worden.
- Het formuleren van nieuwe opgaven voor het kennisontwikkelingsproces.

Kennismanagement wordt een steeds belangrijkere deeltaak van managers in de moderne informatiemaatschappij. Het is echter niet noodzakelijk de diverse deelactiviteiten ook daadwerkelijk zelf uit te voeren. Sommige werkzaamheden kunnen goed aan stagiaires of aan het secretariaat worden opgedragen: bijvoorbeeld het verzamelen en bewerken van informatie en het opstellen van een samenvattende notitie op basis van de informatie. In grotere advocatenkantoren verdient het aanbeveling iemand aan te wijzen die (een deel van de tijd) als kennismanager fungeert en de kennismanagementprocessen plant, organiseert, evalueert en zo nodig bijstuurt.

De laatste decennia zijn enkele nieuwe tools beschikbaar gekomen die de manager helpen de noodzaak van veranderingen beter te voorzien en hier sneller op te reageren. Wij verwijzen in dit kader naar de volgende instrumenten:

- 'Time series analyses' (trendanalyses): over verschillende perioden worden kengetallen verzameld die gebruikt kunnen worden om trends zichtbaar te maken. Welke producten of diensten lopen terug qua afname of gebruik? Welke producten of diensten groeien juist?
- 'Benchmarking': vergelijking met andere organisaties (extern) of organisatieonderdelen (intern). Doet de organisatie het goed of juist minder goed in vergelijking met andere organisaties of organisatieonderdelen?
- 'Forecasting': voorspellingen doen in de toekomst op grond van ontwikkelingen nu. Op basis van trendgegevens en benchmarkresultaten kan de lijn worden doorgetrokken en kunnen schattingen gemaakt worden, bijvoorbeeld over de te verwachten omzet op bepaalde producten of diensten. Welke producten of diensten zullen groeien en welke zullen in belang afnemen?

Op basis van informatie die aldus verzameld wordt, kan de leiding van de organisatie beslissingen nemen in welke producten of diensten, welke processen en welke kennis en vaardigheden geïnvesteerd moet worden en welke moeten worden ingekrompen of afgebouwd.

De hiervoor genoemde 'change management'-processen kunnen helpen om de noodzakelijke veranderingen doelgericht, tijdig en met een zo efficiënt mogelijk gebruik van beschikbare middelen door te voeren. Het is van belang in te zien dat deze processen zelden glad verlopen. In feite ontstaan er vaak weerstanden tegen verandering doordat personen te weinig betrokken zijn geweest bij het analyseren van de noodzaak tot veranderen en het formuleren van de doelstellingen en uitgangspunten van het veranderingsproces (Coch & French, 1948).[73] De auteurs hebben op basis van empirisch onderzoek vastgesteld dat groepen die bij de voorbereiding en uitvoering van een veranderingsproces betrokken worden, de veranderingen significant beter oppakken en ook significant beter gaan functioneren. Dit betekent dat een sterk participatieve stijl van leidinggeven noodzakelijk is en dat veel aandacht dient te worden besteed aan een goede communicatie in alle stadia van het proces. Het verdient aanbeveling bij grote veranderingstrajecten een apart communicatieplan op te stellen en daarin precies aan te geven wanneer met wie gecommuniceerd dient te worden en welke middelen daarbij gebruikt zullen worden. Het is ook verstandig iemand te belasten met de zorg voor een goede communicatie, bij voorkeur een medewerker die hoog scoort op communicatieve vaardigheden.

5.5 Netwerken

Een van de belangrijkste taken van elke manager is het opbouwen en onderhouden van een netwerk van contacten, niet alleen binnen maar ook buiten de organisatie. Zo'n netwerk is nodig om steeds over voldoende informatie te beschikken en om invloed uit te kunnen oefenen op andere partijen in de omgeving.[74]

Manieren om een krachtig netwerk op te bouwen:
- Zelf informatie verspreiden.
- Afspraken maken met relevante personen.
- Vragen om informatie door te spelen.
- Gelegenheden bezoeken waar veel belangrijke personen naartoe gaan (recepties, congressen enz.).
- Zorgen dat je een knooppunt wordt in netwerken van anderen (iemand die bekendstaat als een expert op een bepaald gebied).

73. L. Coch and J. French, Overcoming Resistance to Change, Human Relations 1948, 1, p. 512-532.
74. Ronald S. Burt, The Social Structure of Competition, in: Nitin Nohria and Robert G. Eccles, Networks and Organizations; Structure, Form and Action, Boston: Harvard Business School Press 1992, p. 57-91.

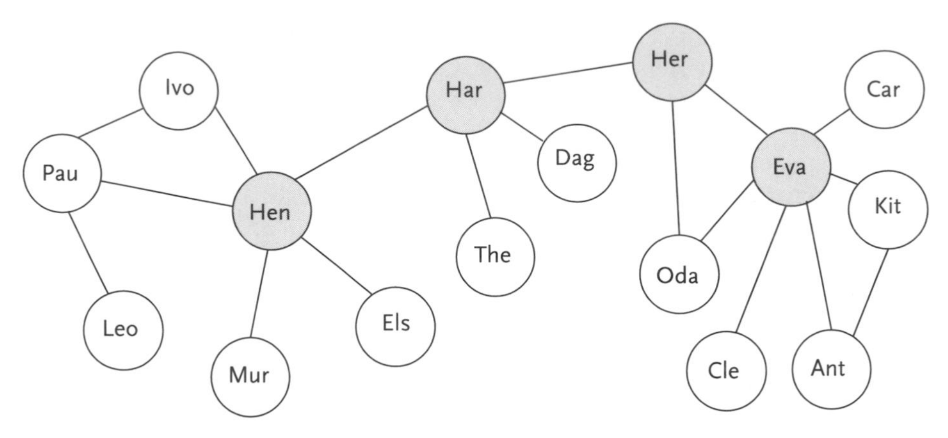

Figuur 9. Voorbeeld van een netwerk van personen (Hen, Har, Her en Eva zijn knooppunten)

Via een netwerk kan informatie snel en probleemloos van de ene kant naar de andere kant worden doorgegeven. Een netwerk is alleen interessant als het goed benut wordt, dat wil zeggen als contactpersonen veelvuldig worden ingeschakeld. Door regelmatig informatie uit te wisselen (eventueel via e-mail) blijft de eigen kennis en informatie 'up-to-date' en wordt de relatie bestendigd.

Netwerken moeten goed onderhouden worden. Om die reden is het noodzakelijk met belangrijke contactpersonen regelmatig contact te hebben. Bovendien moet elk netwerk regelmatig ververst worden. Bestaande contacten vervagen of eindigen, bijvoorbeeld omdat de persoon in kwestie de organisatie verlaat. Om te voorkomen dat het netwerk geleidelijk afbrokkelt is het noodzakelijk voortdurend nieuwe contacten aan te gaan.

Mogelijkheden om het eigen netwerk in stand te houden en verder te ontwikkelen zijn:[75]

- Netwerkbijeenkomsten (deze kunnen formeel zijn, bijv. rond een bepaald thema, of informeel, bijv. een feest of een uitstapje);
- Lezingen houden op congressen en dergelijke;
- Artikelen schrijven in vakbladen, tijdschriften, kranten enzovoort;
- Een e-mailboodschap rondsturen (niet te vaak, anders gaan mensen het als spam beschouwen);
- Mailings;
- Gesprekken;
- (...)

75. Elaine Biech, Marketing Your Consulting Services; A Business of Consulting Resource, Hoboken: JohnWiley & Sons (published by Pfeiffer) 2003.

Netwerken kunnen geheel binnen de organisatie bestaan. Vaak maken ook personen van buiten de organisatie deel uit van een intern netwerk. Door gebruik te maken van de netwerkbenadering is het mogelijk optimaal te profiteren van kennis en ervaring die binnen de organisatie aanwezig zijn. Bovendien kan een intern netwerk sterk ondersteunend zijn voor het versterken van de positie van de organisatie in de markt en voor het opzetten van marketingactiviteiten.

Omgekeerd kan het voor managers van professionals zinvol zijn deel uit te maken van externe netwerken (bijv. een vereniging van jonge managers). Hierdoor houdt de manager aansluiting bij ontwikkelingen in het vakgebied en is hij of zij in staat ervaringen en inzichten uit te wisselen met collega's. De netwerkcontacten met 'soortgenoten' van andere organisaties geven de manager ruggensteun zodat hij of zij het werk in de eigen organisatie beter en sneller kan doen.

Het kan ook zinvol zijn deel uit te maken van netwerken van professionals uit andere disciplines, bijvoorbeeld om hier kennis en ervaringen uit te putten die het eigen repertoire versterken en het mogelijk maken de problemen in de eigen discipline sneller en effectiever op te lossen. De meeste innovaties komen tot stand door het invoeren van vernieuwingen die elders vandaan zijn gehaald.[76]

5.6 Projectmanagement

Het is ondoenlijk in dit bestek alle ins en outs van projectmanagement te beschrijven. In dit boek beschrijven wij de belangrijkste kenmerken van projectmatig werken die voor managers van advocatenkantoren van belang kunnen zijn. Voor een goede beschrijving van projectmanagement verwijzen wij naar literatuur op dit gebied (Wijnen, Renes en Storm, 2004).[77] Hierna zetten wij de belangrijkste kenmerken van projectmatig werken op een rij:

- Een project is een tijdelijke activiteit die erop gericht is een concrete doelstelling of activiteit te realiseren met een zo efficiënt mogelijk gebruik van de beschikbare menskracht en hulpmiddelen.
- Een project staat als het ware naast de staande organisatie die vaak hiërarchisch georganiseerd is en verandering of vernieuwing in de weg staat.
- Binnen een projectteam kunnen taken worden verdeeld en is er een zekere vrijheid om af te wijken van de soms rigide functie- en takenstructuur die de staande organisatie kenmerken.
- Het kan soms nodig of nuttig zijn om bepaalde taken via een projectorganisatie uit te voeren omdat de staande organisatie de uitvoering ervan zou belemmeren of omdat het nodig is er gericht aandacht aan te besteden.
- Een project fungeert als een soort vrijplaats: mensen kunnen er zoeken naar nieuwe oplossingen en onderzoeken of deze haalbaar en uitvoerbaar zijn voordat de hele organisatie ermee belast wordt.

76. E.M. Rogers, Diffusion of Innovations, New York: The Free Press 1962.
77. G. Wijnen, W. Renes en P. Storm, Projectmatig werken, Utrecht: Het Spectrum 2004.

- Tijdens de verbouwing kan de verkoop ongehinderd doorgaan: de staande organisatie blijft voorlopig doorfunctioneren totdat de verandering in de projectgroep voldoende is uitgekristalliseerd.
- Een project is tijdelijk, hetgeen betekent dat er een zekere druk op rust om het doel binnen afzienbare tijd te realiseren.
- Nadat het project is afgesloten, kan de staande organisatie de taken overnemen en erop toezien dat de vereiste veranderingen voldoende geborgd worden.

In een projectteam dient een teamlid verantwoordelijk gesteld te worden voor de planning van de werkzaamheden, het bewaken van de voortgang van het werk, het bevorderen van de samenwerking binnen het team en het realiseren van de doelstellingen. Deze verantwoordelijkheid wordt in de regel gelegd bij de projectleider. Het is zaak een tweede persoon aan te wijzen die de projectleider kan vervangen bij diens afwezigheid en die op de hoogte is van alle ins en outs van het project. Het is van belang het plan van aanpak met alle (beoogde) projectgroepleden gezamenlijk te bespreken, zodat er vanaf het begin van het project voldoende draagvlak is voor de te volgen weg. Het is ook van belang over de planning en de voortgang van het werk en over de behaalde resultaten regelmatig te communiceren met de rest van de organisatie. Dit enerzijds om signalen op te vangen die wellicht tot bijstelling van de aanpak leiden en anderzijds om draagvlak en borging te creëren binnen de staande organisatie.

5.7 Aansturing en begeleiding van medewerkers

Zowel in de staande organisatie als in projecten dienen heldere targets geformuleerd te worden voor de medewerkers (performance management). Tegelijkertijd dient aandacht te worden besteed aan de competenties van medewerkers (competentiemanagement): over welke kennis, vaardigheden en houdingaspecten dienen zij te beschikken en over welke beschikken zij?

De manager dient periodiek aan te geven wat hij of zij van de medewerker verwacht en na te gaan of de medewerker aan die verwachtingen tegemoet kan en wil komen. Tevens dient de manager vast te stellen wat de medewerker nodig heeft om de gewenste resultaten te kunnen boeken. Zo nodig begeleidt of coacht de manager de medewerker en zorgt de manager ervoor dat de medewerker eventueel noodzakelijke opleidingen kan volgen of dat aan andere condities (bijv. kwaliteit van de werkplek, werkdruk, enz.) voldaan is. Een goede manager heeft op tijd in de gaten als een medewerker niet lekker in zijn of haar vel zit of op een dood spoor raakt in het werk. De manager zorgt ervoor dat hij of zij tijdig de discussie met de medewerker voert over eventuele maatregelen om de situatie te verbeteren. Als blijkt dat de medewerker echt aan het eind van zijn of haar 'life cycle' is gekomen, neemt de manager tijdig het initiatief om de medewerker ertoe te bewegen een volgende loopbaanstap te zetten en bijvoorbeeld te stoppen met werken of naar een andere organisatie over te stappen of een eigen zaak te beginnen.

Het volgende schema helpt de manager om de eigen groep te monitoren en de juiste maatregelen te nemen voor de diverse categorieën medewerkers:

Tabel 28. De BCG-matrix, toegepast op het personeelsbestand

Potentieel:	Hoog	Laag
Prestaties:		
Hoog	Goudhanen/goudhennen	Werkbijen
Laag	Probleemgevallen	Achterblijvers

De groep goudhanen en goudhennen is gewoonlijk tamelijk klein. Voor deze medewerkers moet voldoende uitdaging worden gecreëerd en zij moeten perspectief hebben op wanneer zij een volgende loopbaanstap in de organisatie kunnen zetten. Ook kunnen zij bij de sturing en ontwikkeling van de organisatie en bij grote veranderingstrajecten worden ingezet.

De groep werkbijen is vaak de vergeten groep in de organisatie. Deze medewerkers doen hun werk goed en vormen de 'backbone' van het personeelsbestand. Ook voor hen moet voldoende uitdaging worden gecreëerd, zij het dat deze uitdaging niet gericht is op het zetten van een volgende loopbaanstap. Er kan meer worden gekeken naar het rouleren van taken en het variëren bij de verdeling van het werk.

De probleemgevallen zijn medewerkers die meer in hun mars hebben dan voor hun huidige werk noodzakelijk is. Zij zijn sneller klaar met het werk dan anderen en gaan zich dan vervelen. Zij houden anderen van het werk, gaan hobbyen op de computer, verzinnen ideeën die niet uitvoerbaar zijn, enzovoort. Bij deze medewerkers is het noodzakelijk hen uitdagende nieuwe taken te geven en intellectueel zwaarder te belasten zodat zij in het werk voldoende geprikkeld worden.

De groep achterblijvers (in de wandelgangen ook wel eens 'dood hout' genoemd) presteert onvoldoende en heeft ook geen potentieel voor ander (hoogwaardiger) werk. Hier zal eerder bekeken moeten worden of deze medewerkers op een lagere functie ingezet kunnen worden dan wel, als dat niet mogelijk is, of zij de organisatie kunnen verlaten. Het voeren van slechtnieuwsgesprekken en het actief bemiddelen van onderpresterende medewerkers met weinig potentieel naar een andere functie binnen of buiten de organisatie behoren bij uitstek tot de taken van de manager. Als er voldoende geld voor beschikbaar is kan hij gebruikmaken van outplacement en andere instrumenten om de medewerker in beweging te krijgen. In noodgevallen kan ontslag worden verleend, mits het disfunctioneren voldoende gedocumenteerd is en er een adequate financiële regeling met de medewerker is getroffen.

5.8 Monitoring en evaluatie van resultaten

De manager dient tussentijds regelmatig voortgangsgesprekken te houden met medewerkers om te zien hoe zij functioneren en welke vorderingen zij maken. Deze gesprekken dienen niet alleen gericht te zijn op de resultaten die zij behaald hebben of eventueel nog zullen behalen, maar ook op de ontwikkeling van de kritieke competenties die nodig zijn om de performance te verbeteren. 'Good practice' is minimaal één keer per jaar de balans op te maken en van alle medewerkers in het team een beoordeling op te stellen. In feite is dit eenrichtingsverkeer, hoewel de medewerker wel de mogelijkheid moet hebben erop te reageren. In de praktijk wordt de medewerker vaak in de gelegenheid gesteld een schriftelijke reactie te geven. Deze reactie wordt met het schriftelijke antwoord van de manager aan de beoordeling toegevoegd en in het personeelsdossier van de medewerker opgeborgen.

Zodra de resultaten beoordeeld zijn, is het mogelijk de consequenties in termen van beloning vast te stellen. Komt de medewerker in aanmerking voor een periodieke verhoging of voor een eenmalige bonus? Moet de medewerker gepromoveerd worden naar een hogere functie met bijbehorende hogere salarisschaal? Zo ja, op welk niveau wordt hij of zij dan ingeschaald? Allemaal vragen die pas goed beantwoord kunnen worden als de resultaten en het potentieel van de medewerker goed ingeschat zijn. Hiervoor is ook nodig dat periodiek de prestaties en de competenties (kennis, vaardigheden en houdingaspecten) van de medewerker worden gemeten en dat deze gegevens mee worden genomen bij de beoordeling. Dit betekent dat het beoordelingssysteem het mogelijk moet maken zowel de prestaties als de competenties te meten en hieruit conclusies te trekken.

Bij elk gesprek dat de manager voert dient hij of zij ervoor te zorgen dat er afspraken worden gemaakt met de medewerker voor de volgende periode. Er dienen opnieuw targets te worden opgesteld, niet alleen wat betreft de te leveren prestaties en de te verwachten resultaten maar ook wat betreft de te ontwikkelen of beter te benutten competenties. Het is noodzakelijk deze afspraken op papier vast te leggen, het door de medewerker voor akkoord te laten ondertekenen en het in het personeelsdossier van de medewerker op te nemen. Bij volgende gesprekken dient het papier tevoorschijn te worden gehaald en in het gesprek besproken te worden. De manager en de medewerker weten dan wat er afgesproken is en kunnen samen nagaan in hoeverre de afspraken nagekomen zijn of bijgesteld moeten worden.

5.9 Toetsvragen

1. Welke stappen moeten gezet worden om tot een goede operationele planning te komen?
2. Wat zijn SMART-doelstellingen?
3. Waarom is het nuttig procesbeschrijvingen te maken van de belangrijkste processen?
4. Welke elementen dienen in een procesbeschrijving te worden opgenomen?
5. Welke drie hoofdstadia onderscheidt Lewin in elk veranderingsproces?
6. Welke drie soorten weerstand onderscheidt Piderit?
7. Op welke vijf manieren kun je volgens Armenakis e.a. de bereidheid tot veranderen positief beïnvloeden?
8. Wat zijn de vijf disciplines van de lerende organisatie?
9. Hoe kan kennismanagement worden vormgegeven in een advocatenkantoor?
10. Welke drie instrumenten zijn er om te beoordelen of diensten/producten moeten worden uitgebreid of ingekrompen?
11. Waarom is het nodig voor professionele juridische dienstverleners om netwerken te ontwikkelen?
12. Wat zijn de belangrijkste kenmerken van projectorganisaties?
13. Welke personeelscategorieën vereisen specifieke aandacht van het management?
14. Hoe kan de manager nagaan of de medewerker de afgesproken resultaten behaald heeft en zich in de gewenste richting heeft ontwikkeld?

6 Human Resource Management[78]

6.1 Inleiding

Human Resource Management (HRM), ofwel de wijze waarop de human resources (het menselijk kapitaal) worden gemanaged, mag als onderwerp niet ontbreken in een inleiding over management en organisatie van professionele juridische dienstverleners. Hoewel HRM al sinds de jaren tachtig van de vorige eeuw een gekend fenomeen is binnen wetenschap,[79] bedrijfsleven en overheid, zijn het met name organisaties van professionals die dit fenomeen pas recent aan het ontdekken zijn. Human Resource Management kan wel beschouwd worden als een (eind)ontwikkeling van personeelsmanagement. HRM is in wezen personeelsmanagement dat de ontwikkeling heeft doorgemaakt naar een volwaardig managementinstrument.[80]

Over respectievelijk van HRM bestaan verschillende theorieën en even zo vele definities. Dit is niet de plaats om al die theorieën en definities uitvoerig te belichten. De geïnteresseerde lezer verwijzen wij graag naar een van de meest complete overzichten op dit gebied, namelijk het standaardwerk van Daniël Vloeberghs. Hij onderscheidt een vijftal gebieden waarop HRM met name zijn aandacht moet richten:[81]

1. Scholing en herscholing van personeel.
2. Ontwikkeling van kennis en vaardigheden van het management.
3. Afstemming van HR-planning op strategische planning.
4. Ontwikkelen van Management Development-programma's.
5. Verbeteren van de communicatie binnen het bedrijf.

---

78. Dit hoofdstuk is gedeeltelijk ontleend aan: R.C.H. van Otterlo, P&O-strategie. Human resource management in de praktijk, in: J.H. Dijkstra (red.), Rendement uit P&O, Amsterdam: WEKA 2003 (module 1).
79. Zie met name Daniël Vloeberghs, Handboek human resource management. Managementcompetenties voor de 21e eeuw, Leuven/Amersfoort: Acco 1997. Van dit boek is recent een nieuwe versie verschenen met als titel: Human Resource Management. Fundamenten en perspectieven. Op weg naar de intelligente organisatie, Tielt: Lannoo 2004.
80. R.C.H. van Otterlo, De invloed van personeelsmanagement op de prestatie van ondernemingen. Een theoretisch-empirisch onderzoek naar de mate van succes van personeelsmanagement in traditionele bedrijven binnen de profit sector, Rotterdam: Chester Crewe Management Services 2000, p. 66.
81. Daniël Vloeberghs, Handboek human resource management. Managementcompetenties voor de 21e eeuw, Leuven/Amersfoort: Acco 1997, p. 27.

Met name binnen de advocatuur ontstaan op dit moment allerlei initiatieven in de richting van HRM. Veelal gaan die initiatieven vooral over het vierde punt, het ontwikkelen van Management Development-programma's.[82] Management development (MD), of ook wel managementontwikkeling, is het onderdeel van HRM dat gericht is op het ontwikkelen van bepaalde competenties of bekwaamheden bij leidinggevenden. MD richt zich doorgaans op de volgende doelstellingen:

- Het optimaal ontwikkelen van het aanwezige managementtalent.
- Het garanderen van een adequate bezetting van sleutelposities.
- Het aangaan van een psychologisch contract met de medewerkers teneinde hen aan het bedrijf of de organisatie te binden.
- Het leggen van een relatie met de organisatiestrategie door middel van het managen van competenties.[83]

Binnen de advocatuur is nauwelijks sprake van HRM, maar veeleer van Human Resource Development (HRD).[84] HRD[85] is een nog jonge loot aan de HRM-tak en laat zich als begrip moeilijk definiëren. Hier volstaat het aan te geven dat HRD zich met name richt op:

- individuele ontwikkeling van medewerkers in arbeidsorganisaties;
- loopbaanontwikkeling;
- organisatieontwikkeling;
- Management Development (MD).

HRD maakt daarbij gebruik van verschillende instrumenten, zoals opleiding en training. In de praktijk van grotere professionele organisaties is HRD (en MD) vaak een kwestie van 'survival of the fittest'.[86] Van echte MD-programma's is vaak (nog) geen sprake. Bovendien is het maar zeer de vraag of min of meer formele MD-programma's voor professionele organisaties wel werken. De werkelijke opbrengsten van veel van dergelijke programma's blijken vaak bedroevend.[87] Mits goed gestructureerd en transparant voor de deelnemers is een MD-programma met als onderliggend principe 'survival of the fittest' wel degelijk bruikbaar. Ingericht als een toernooimodel met heldere spelregels voor de deelnemers is een HRD-aanpak heel geschikt voor organisaties van professionals bij het selecteren van top-talenten.[88]

---

82. Zie noot 1.
83. J.I. Stolker, N.J. Kolk, Grip op leiderschap. Toegankelijke modellen en praktische inzichten, Deventer/Zaltbommel: Kluwer/INK 2003, p. 146-148.
84. R.C.H. van Otterlo, Human Resource Management in de advocatuur. Noodzaak of luxe?, Advocatenblad 2002, 11, p. 474-477.
85. Zie voor HRD het themanummer: De wortels van het vak, Opleiding & Ontwikkeling, Tijdschrift voor Human Resource Development 2003, nr. 16.
86. R.C.H. van Otterlo en P.G.W. Jansen, Gewiekst. Ouderwets kantoren-p&o op de helling, Personeelbeleid 2004, nr. 1, p. 22-26.
87. J.I. Stolker en N.J. Kolk, Grip op leiderschap. Toegankelijke modellen en praktische inzichten, Deventer/Zaltbommel: Kluwer/INK 2003, p. 147.
88. R.C.H. van Otterlo en P.G.W. Jansen, Managementontwikkeling binnen organisaties van professionals: competing for the top, Opleiding & Ontwikkeling 2004, nr. 10, p. 15-19.

6.2 Definitie HRM-strategie

HRM-strategie is:
1. een planmatige aanpak met betrekking tot het menselijk kapitaal;
2. gericht op een zo efficiënt mogelijk gebruik van dat menselijk kapitaal, in relatie tot de realisering van de ambities van het bedrijf in combinatie met de ambities van de individuen (bijv. de beste in de markt willen zijn, de grootste in de markt willen zijn, de beste *'price fighter'* willen zijn, enz.);
3. afgestemd op de strategieën van de kernactiviteiten van die organisatie.

Dit laatste wordt in de literatuur 'strategic alignment' genoemd (Holbeche, 1999).[89]

Wat houdt strategisch HRM in, en in hoeverre kan strategisch HRM van toepassing zijn voor het midden- en kleinbedrijf?

Human Resource Management kan beschouwd worden als de meer strategische ontwikkeling van personeelsmanagement. Daar waar personeelsmanagement vaak een meer praktische benadering is van instroom-, doorstroom- en uitstroomproblematiek met betrekking tot medewerkers in organisaties, is Human Resource Management in wezen personeelsmanagement dat de ontwikkeling heeft doorgemaakt naar een volwaardig managementinstrument en dat een rol kan spelen bij de planmatige ontwikkeling van het bedrijf.

HRM onderscheidt zich, zoals gezegd, van personeelsmanagement met name door zijn strategische karakter en door zijn strategische positionering (zie tabel 29).

Tabel 29. HRM versus personeelsmanagement

Human Resource Management	Personeelsmanagement
Managementkarakter	Beheerskarakter
Integratie van HRM-activiteiten	Op zichzelf staande personeelsmanagementactiviteiten
Integratie van HRM met ondernemingsplanning	Geen integratie personeelsmanagement met ondernemingsplanning
Strategisch perspectief	Operationeel perspectief

Een combinatie van HRM en personeelsmanagement komt in de praktijk met name bij grotere bedrijven veel voor. Middelgrote en grote organisaties van professionals zoals advocatenkantoren en consultancybureaus trachten HRM, gericht op ontwikkeling van de human resources, te realiseren voor de professionals, terwijl

89. Linda Holbeche, Aligning Human Resources and Business Strategy, Oxford: Butterworth Heinemann 1999.

zij personeelsmanagement in de vorm van 'gecoördineerd duwen en trekken aan medewerkers' (Jansen, 2002: 38) aanwenden voor het ondersteunende personeel. Dit kan op praktische problemen stuiten. Zo kan het toepassen van verschillende belonings- en beoordelingssystemen leiden tot een gevoel van achterstelling bij de groep die er relatief bekaaider afkomt. In de meeste gevallen is dat het ondersteunend personeel.

Daar waar personeelsmanagement 'gecoördineerd duwt en trekt aan mensen in de context van een arbeidsorganisatie' is HRM een specifiek soort personeelsmanagement, waarbij de 'human resources' in eerste instantie niet uitsluitend gezien worden als kostenpost maar als een kwantitatieve kosten- én opbrengstenpost (= 'harde' HRM-variant) of als een te ontwikkelen, meer dan te managen resource (= 'zachte' HRM-variant).

Omdat HRM strategisch van aard is, moet het aansluiten bij de strategische doelstellingen van de organisatie. Personeelsmanagement is uitvoerend van aard: het gaat hier meer om de praktische invulling van een wervings- en selectieprocedure, het regelen van een opleiding, het organiseren van functioneringsgesprekken, enzovoort. HRM plaatst deze praktische activiteiten in een strategisch kader, dat wil zeggen de visie en strategie van de organisatie worden bepalend voor de keuze van de activiteiten en de wijze waarop deze worden uitgevoerd. Als bijvoorbeeld de marktpositie van het bedrijf versterkt moet worden, is het wellicht noodzakelijk commerciële vaardigheden te ontwikkelen bij management en medewerkers. Hiervoor kunnen specifieke trainingen worden opgezet. Het bedenken welke inhoud de trainingen moeten hebben en wie eraan deel moeten nemen is dan meer het terrein van HRM, terwijl de planning, organisatie en uitvoering van de trainingen meer op de weg van het uitvoerend personeelsmanagement liggen.

Om de HRM-strategie af te kunnen stemmen op de strategische doelstellingen van de organisatie, dient HRM gepositioneerd te worden binnen de (strategische) top van die organisatie. Echter, het is bij lange na niet voldoende om uitsluitend de positionering in de top te regelen. De HRM-verantwoordelijke dient bij voorkeur deel uit te maken van de top of (als dat niet mogelijk is) ten minste een volwaardige 'sparring partner' van het management te zijn. Alleen dan zullen alle betrokkenen bereid zijn om HRM-zaken serieus te nemen en is het voor de HRM-verantwoordelijke mogelijk de op het personeel gerichte activiteiten vanuit de visie van de organisatie, in een strategisch kader op te pakken.
Bij wat kleinere bedrijven, waarvan er immers heel veel zijn in het MKB, is het zaak dat het gehele management (vooral de algemeen directeur) zich voortdurend bewust is van de strategische betekenis van HRM en dit thema ook steeds op de agenda zet. Vooral bij wat kleinere organisaties bestaat het gevaar dat de dagelijkse praktische personeelskwesties uitsluitend worden aangepakt op het moment dat ze zich aandienen (ad hoc). Er wordt weinig of geen rekening gehouden met de langetermijneffecten, bijvoorbeeld op de financiële situatie van het bedrijf. Strategisch HRM betekent dat er meer rekening wordt gehouden met middellange en langetermijnontwikkelingen (*be prepared*!). Er wordt terdege rekening gehouden met andere aspecten

zoals: In hoeverre dragen de activiteiten bij aan het bereiken van de doelstellingen van de organisatie? Wat is het rendement van de activiteiten (in hoeverre wegen de kosten op tegen de baten)? In hoeverre is rekening gehouden met gewenste en ongewenste neveneffecten? Je zou kunnen zeggen dat strategisch HRM een bewuster of weldoordachter soort personeelsmanagement is: er is over nagedacht.

6.3 Soorten HRM: 'zacht' en 'hard' HRM

Er zijn op zijn minst twee hoofdstromen binnen HRM te onderscheiden. Aan de ene kant is daar het onderscheid tussen de 'zachte' en 'harde' betekenis van HRM. In de zachte betekenis van HRM wordt vooral het belang van het menselijk potentieel benadrukt, terwijl in de harde betekenis het accent ligt op het verschil in waarde van menselijk kapitaal in het licht van het strategisch beleid van de organisatie. Aan de andere kant kan er onderscheid gemaakt worden in de mate waarin HRM een specifiek soort benadering is van arbeidsvraagstukken. De zwakste vorm van HRM is daarbij in feite niet veel anders dan personeelsmanagement waarin het vooral gaat om het uitvoeren van de geldende arbeidsvoorwaarden, terwijl de sterkste vorm een radicaal andere wijze is om naar arbeidsvraagstukken in organisaties te kijken en van daaruit de arbeidsvoorwaarden continu aan te passen. Figuur 10 geeft de verschillende HRM-dimensies weer.

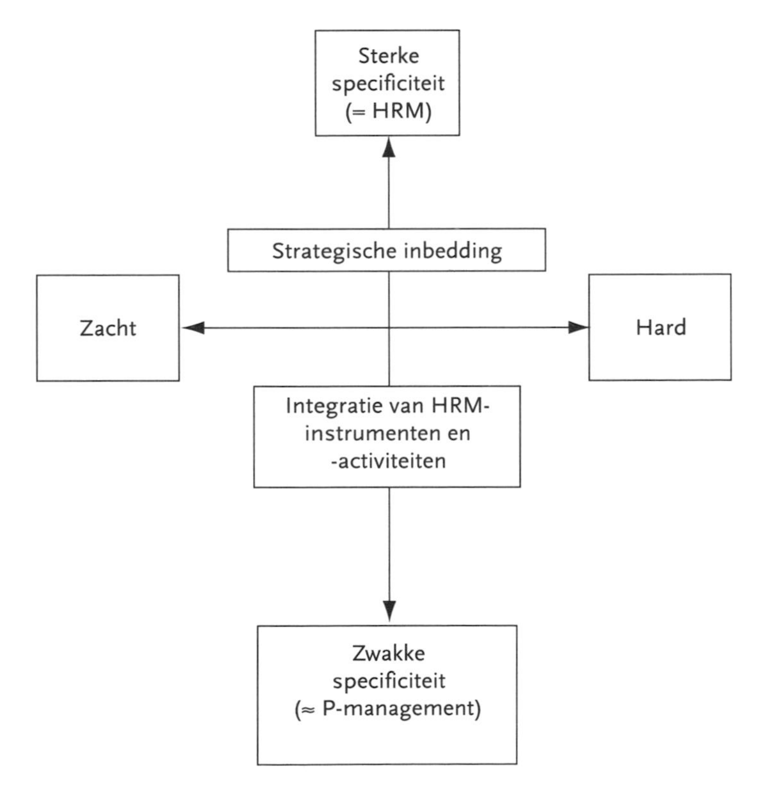

Figuur 10. Verschillende betekenissen van HRM

6.4 Definitie zacht HRM

'Zacht' HRM:
1. Het beleid is gericht op integratie van de personele functie en de strategische beleidsvorming.
2. Alle personeelsactiviteiten worden zowel onderling als op het strategische beleid afgestemd.
3. Werknemers worden beschouwd als te ontwikkelen bronnen, en niet zozeer als te managen bronnen.
4. Als zodanig vormt zacht HRM een *bij uitstek sociale invulling* van de personele functie.

Omdat bij zacht HRM de nadruk ligt op ontwikkeling van medewerkers is het vooral geschikt voor innovatieve, op ontwikkeling gerichte organisaties, zoals advocatenkantoren, notariskantoren, consultancybureaus, ingenieursbureaus, ICT-bedrijven enzovoort. Ontwikkeling van medewerkers en organisatieontwikkeling zijn beide van belang voor innovatie, die noodzakelijk is voor continuïteit.

6.5 Definitie hard HRM

'Hard' HRM:
1. Het beleid is gericht op integratie van de personele functie en de strategische beleidsvorming.
2. Alle personeelsactiviteiten worden onderling en op het strategische beleid afgestemd.
3. Werknemers worden beschouwd als een kwantitatieve kosten- en opbrengstenpost.
4. Hard HRM is een meer *technische invulling* van de personele functie.

Het gaat bij hard HRM om het optimaal benutten van resources in het licht van ondernemingsdoelstellingen. Hard HRM, met zijn nadruk op kostenaspecten van de personele functie, lijkt vooral geschikt voor bedrijven in de productiesfeer en de dienstverlening, waar lage marges en sterke concurrentie dwingen tot een terughoudend loonbeleid. Voorbeelden van dergelijke organisaties zijn vooral te vinden in de bouw, horeca, middenstand enzovoort.

6.6 STRATEGISCH HRM

Zoals eerder betoogd is strategie een lastig definieerbare kwestie. Dit geld zeker ook voor strategisch HRM. We hebben echter gezien dat strategisch HRM zich duidelijk onderscheidt van praktisch personeelsmanagement, hoewel dat personeelsmanagement natuurlijk ook bij dient te dragen aan de (strategische) doelstellingen van een organisatie en daarmee de facto strategisch georiënteerd dient te zijn (Kouwenhoven & Van Hooft, 2003: 37). Wij zullen hier trachten strategisch HRM wat meer toe te lichten en aangeven welke betekenis dit heeft voor de praktijk van organisaties. Tevens zullen wij een casus behandelen, zodat de lezer zich een beeld kan vormen hoe een en ander in de praktijk werkt.

Essentieel voor HRM zijn de onderlinge samenhang van de HR-instrumenten en -activiteiten, en de integratie van HRM met het strategische beleid van de organisatie (de zogenoemde *fit*).[90] Bovendien is HRM primair een managementverantwoordelijkheid, dat wil zeggen dat HRM niet een fenomeen is dat zich beperkt tot de personeelsafdeling. HRM is te belangrijk om overgelaten te worden aan de personeelsafdeling! Managers zullen zich in belangrijke mate moeten bemoeien met HRM-issues.

6.7 ONDERLINGE SAMENHANG HRM-INSTRUMENTEN EN -ACTIVITEITEN

Een van de kenmerken van strategisch HRM is dat het helpt samenhang aan te brengen tussen de verschillende HRM-activiteiten en -instrumenten (zie figuur 10). Dit betekent dat de verschillende activiteiten en instrumenten gericht zijn op hetzelfde doel en elkaar bovendien versterken. Door een betere samenhang tussen activiteiten en instrumenten tot stand te brengen kunnen de visie en doelstellingen van de organisatie beter en sneller worden gerealiseerd. Samenhang bevordert efficiency en optimalisatie van de afzonderlijke activiteiten en instrumenten, terwijl het ontbreken van samenhang leidt tot inefficiency en sub-optimalisatie.

6.8 DE HRM-ACTIVITEITEN EN -INSTRUMENTEN

De meeste HRM-activiteiten hebben betrekking op de HRM-thema's *instroom, doorstroom, uitstroom, beloning, inrichting van taken en functies* en *personeelsadministratie, -informatie en -beleid*. Per HRM-thema benoemen wij in tabel 30 een aantal activiteiten met daarbij voorbeelden van personeelsinstrumenten. Deze lijst is overigens niet uitputtend.

---

90. Frits Kluytmans, Arbeidsrelaties tussen schijn en werkelijkheid. Reflecties over personeelsmanagement, HRM en personeelswetenschappen, Deventer: Kluwer/Open Universiteit Nederland 1999, p. 65.

Tabel 30. Overzicht van thema's, activiteiten en instrumenten van HRM

Thema	Activiteit	Instrument
instroom	– werving & selectie – introductie – stages – inlenen uitzendkrachten	– interview – organisatiehandboek – stageverslag – contract
doorstroom	– loopbaanontwikkeling en -begeleiding – Management Development – beoordelingsgesprekken – functioneringsgesprekken – potentieelbeoordeling – opleiding en training – promotie/demotie	– opleidingsprogramma – MD-programma – beoordelingssysteem – standaardformulier – assesment – competentieprofielen – HR-beleid
uitstroom	– arbeidsbemiddeling – outplacement – exitinterviews	 – sociaal plan – exitinterviews
beloning	– ontwerpen arbeidsvoorwaarden – toepassen arbeidsvoorwaarden – arbeidsvoorwaardenoverleg – functiewaardering	– n.v.t. – ondernemingsraad – ondernemingsraad – functiewaarderingssystematiek
inrichting taken en functies	– taakstructurering – functiebeschrijvingen en functieprofielen – uitvoering Arbowet – kwaliteit van het werk – organisatieverandering	– organisatiemodel – formats – arbowetgeving – meetinstrument – communicatie
personeels-administratie	– personeels- en salaris-administratie	– systeem
personeels-informatie	– personeelsinformatiesystemen – personeelsplanning	– systeem – systeem
personeelsbeleid	– formulering personeelsbeleid	– managementteam

6.9 TOETSVRAGEN

1. Wat is Human Resource Management (HRM)?
2. Waar houdt HRM zich mee bezig?
3. Waarin onderscheidt HRM zich van personeelsmanagement?
4. Wat is HRM-strategie?
5. Welke soorten HRM zijn er? Licht toe.
6. Wat is strategisch HRM?
7. Wat is MD? Waar richt het zich op?
8. Waar richt HRD zich op?

6.10 CASUS 'TOGA C.S.' EN 'BERENGER AND CRAWFORD LLP'

Wat is er voor nodig om de 'onderlinge fit' van HRM-activiteiten en -instrumenten te realiseren? Neem nu het middelgrote advocatenkantoor 'Toga c.s.', gevestigd in het oosten des lands, dat vijftien jaar bestaat, met twintig advocaten, drie stagiaires, en twintig man ondersteunend personeel, onder wie secretaresses. Bij elkaar werken er 43 medewerkers (43 FTE), van wie er acht partner zijn in de maatschap.

Er is een dagelijks bestuur (DB) dat verantwoordelijk is voor de bedrijfsprocessen, bestaande uit vier partners. Elk lid van het DB heeft één of meer aandachtsgebieden. Eén lid is verantwoordelijk voor het personeelsbeleid. Specialisaties van het kantoor zijn arbeidsrecht, verzekeringsrecht en faillissementsrecht.
Toga c.s. heeft een goede naam in de regio, maar staat wel bekend als 'duur'. De ambitie van het kantoor is om regionaal toonaangevend te worden op de betreffende rechtsgebieden, waarbij het kantoor zich primair richt op de zakelijke markt. Acquisitie is van belang voor behoud en uitbreiding van het marktaandeel. De winstgevendheid voor de partners is redelijk maar moet naar een hoger niveau, hetgeen bij de bestaande leverage, dat wil zeggen de verhouding partner/medewerker, van 1 : 3 niet mogelijk is.[91] Doelstelling is dan ook om de leverage te verhogen naar 1 : 4, waarmee tevens de andere doelstelling, verhoging marktaandeel van 30% naar 40%, gerealiseerd kan worden. Een verhoging van het marktaandeel kan alleen worden gerealiseerd ten koste van de concurrentie. Omzetstijging kan voornamelijk worden gerealiseerd door verhoging van de bestaande leverage en doordat met name faillissementsrecht groeit door een toenemende vraag uit de markt.

Een drietal problemen staat de doelstellingen van het kantoor in de weg:
1. Hoge gemiddelde leeftijd van de partners in combinatie met lage gemiddelde leeftijd en ervaringsjaren van medewerkers (advocaten). De startende partners waren vijftien jaar geleden ongeveer 45 jaar en zien inmiddels uit naar pensionering. De advocaat-medewerkers zijn allemaal ongeveer 30 jaar en nog iets te

91. Zie in dit verband o.a. R.C.H. van Otterlo, H.K.J.M. de Sonnaville en P.G.W. Jansen, Komt het einde van de zelfstandig gevestigde advocaat in zicht?, Advocatenblad 2002, 19.

onervaren om partner te worden. Ze beschikken nog over onvoldoende acquisitievermogen. Acquisitie van nieuwe klanten geschiedt nog veelal door de partners, waarbij er behoorlijke verschillen onderling zijn in de mate van succes van het acquireren.
2. Krapte op de arbeidsmarkt voor topjuristen (zij trekken allemaal naar de grote advocatenkantoren in de randstad).
3. Relatief hoog verloop onder de advocaat-medewerkers als gevolg van de vrij strakke hiërarchische verhoudingen binnen het kantoor en de relatief lage salarissen van die medewerkers.

Deze problemen laten zich vertalen naar een aantal thema's, issues en HRM-werkgebieden (tabellen 31 t/m 33):

Ad. 1 heeft betrekking op: **instroom** en **doorstroom.**

Tabel 31. Thema, issues en werkgebieden inzake in- en doorstroom

Thema	Issues	HRM-werkgebied
Instroom	Verkeerde leeftijdsopbouw organisatie	Werving & selectie
Doorstroom	Competenties medewerkers	– Loopbaanontwikkeling en -begeleiding – Management Development – Opleiding en training

Ad. 2 heeft betrekking op: **instroom.**

Tabel 32. Thema, issues en werkgebieden inzake instroom

Thema	Issues	HRM-werkgebied
Instroom	– Het vinden en aantrekken van de juiste medewerkers – Het opstellen van de juiste profielen	Werving & selectie

Ad. 3 heeft betrekking op **uitstroom, inrichting taken en functies** en **beloning.**

Tabel 33. Thema, issues en werkgebieden inzake uitstroom, inrichting van taken en functies en beloning

Thema	Issues	HRM-werkgebied
Uitstroom	Hoog verloop	Exitinterviews
Inrichting taken en functies	Strakke formeel hiërarchische structuur	– Organisatieontwikkeling – Nieuwe manier van werken (binden, boeien en benutten)
Beloning	Relatief lage salarissen	Functiewaardering

Zoals we kunnen zien hebben de problemen bij de verwezenlijking van de ambities van het advocatenkantoor Toga c.s. betrekking op nogal wat verschillende onderdelen van HRM, te weten instroom, doorstroom, uitstroom, inrichting taken en functies en beloning.

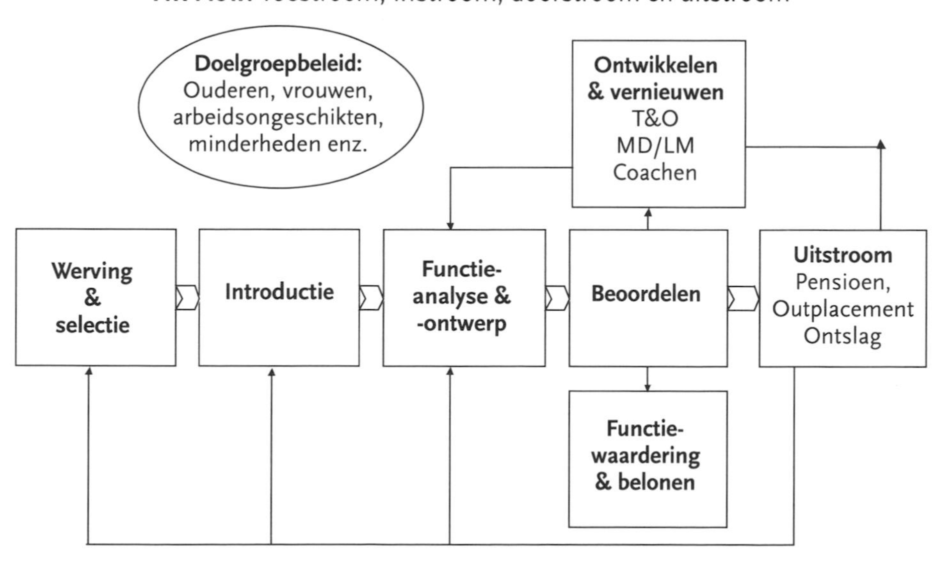

Dit is niet verwonderlijk. Het zal zelden zo zijn dat de problemen met betrekking tot realisatie van ambities van organisaties slechts betrekking hebben op één of twee HRM-werkgebieden. Dit maakt onderlinge strategische afstemming van de werkgebieden des te belangrijker. Want, stelt u zich eens voor dat in de Toga-casus 'in the blind' gekozen zou worden voor hogere salarissen voor de advocaat-medewerkers om het verloop tot staan te brengen, zonder dat gebruik wordt gemaakt van informatie die uit exitinterviews, in dit geval uit interviews met reeds langer vertrokken medewerkers, naar voren is gekomen. Men zou dan wellicht de salarissen hoger dan nodig kunnen optrekken. Of men trekt de salarissen op, terwijl uit de exitinterviews zou kunnen blijken dat salarishoogte niet de werkelijke reden was voor de desbetreffende medewerkers om te vertrekken. Zo ook kunnen de andere thema's verband met elkaar houden.

Een juiste manier om vanuit HRM de problematiek te benaderen zou dan ook zijn om de HRM-werkgebieden met elkaar te verbinden ('fit'). In de Toga-casus zou aan de instroomkant de werving & selectie in de toekomst gericht moeten zijn op profielen van medewerkers die opgesteld worden op basis van de strategie en ambities van de organisatie. In het geval van Toga c.s is dit het streven naar excellentie en hogere winstgevendheid. Ook uit de exitinterviews (uitstroomproblematiek) kan relevante input voor profielen van toekomstige medewerkers worden verkregen. Zo worden dus de thema's **instroom** en **uitstroom** op elkaar afgestemd. Ook het **doorstroombeleid** dient afgestemd te worden op het (nieuwe) **instroombeleid**.

Bij Toga c.s. betekent dit dat een fundamentele keuze gemaakt dient te worden:
- Selecteren we jonge talentvolle stagiaires die beschikken over latente competenties in het kader van de organisatieambitie die binnen de organisatie verder ontwikkeld worden tot het gewenste niveau?
- Richten we ons op de selectie van meer ervaren advocaten die reeds beschikken over de gewenste competenties maar snel kunnen doorgroeien naar partnerniveau, zodat de leeftijdsopbouw van de organisatie gunstiger wordt?

Hoe lossen we het probleem op dat dan mogelijk aan de **beloningskant** ontstaat doordat de salarissen in plaats van te laag misschien te hoog worden in relatie tot een van de ambities van het kantoor, namelijk het verhogen van de winstgevendheid voor de partners. Ook in het andere geval, het aantrekken van talentvolle stagiaires, dienen de thema's **instroom-**, **doorstroom-**, **belonings-** en **uitstroomproblematiek** onderling 'op elkaar afgestemd' te worden. Immers, zoals we zagen in ad 2 vormt ook de krapte op de arbeidsmarkt voor jonge afgestudeerde topjuristen een belemmering voor de realisering van de ambitie van Toga c.s. om regionaal toonaangevend te worden op drie rechtsgebieden. Om die ambitie waar te kunnen maken zal Toga c.s. immers in de buidel moeten tasten (beloningsproblematiek) om succesvol in die overbeviste vijver mee te kunnen vissen. Eenmaal binnengehaald zullen de topstudenten zich voldoende moeten kunnen ontwikkelen en doorgroeien (doorstroomproblematiek m.b.t. de nieuwe manier van werken: binden, boeien en benutten) willen ze Toga c.s. als werkgever aantrekkelijk genoeg blijven vinden (uitstroomproblematiek: ongewenst verloop).

De **inrichting taken en functies** dient eveneens afgestemd te worden met **instroom, doorstroom** en **beloning** door het ontwerpen van een evenwichtig organisatiemodel waarin zowel voldoende *leverage* als adequate en relatief snelle opvolging van partners wordt gewaarborgd. Bovendien dienen **instroom**, **uitstroom** en **inrichting taken en functies** ook op elkaar te worden afgestemd met het oog op een mogelijk noodzakelijke cultuurverandering binnen het kantoor. Dit teneinde het probleem (zie ad 3) van een strakke hiërarchie op te lossen. Immers, op basis van de informatie verkregen uit onder andere exitinterviews (uitstroomproblematiek) kan anders geselecteerd worden (zakelijke en assertieve stagiaires) en kan de kantoororganisatie (inrichting taken en functies) heringericht worden zodat een plattere organisatie ontstaat. Deze plattere organisatie zou beter in staat zijn om professionals te boeien en te binden. De HRM-verantwoordelijke (d.w.z. de lijnmanager, de partner, de HRM-manager) dient niet alleen een bijdrage te leveren aan het voortdurend aanpassen en innoveren van het HRM-instrumentarium, maar vooral ook aan de organisatiedoelstellingen en haar kernactiviteiten en kerncompetenties.[92]

De 'interne fit' van HRM-instrumenten
Hiervoor is aan de hand van de casus Toga c.s. de fit van HRM-werkgebieden laten zien. Een niveau dieper, en daarmee concreter, bevinden zich de HRM-instrumenten. Op instrumentenniveau vindt eveneens een onderlinge afstemming ('fit') plaats.

Om de winstgevendheid- en groeiambities van Toga c.s. te kunnen realiseren zal dit kantoor een 'ander' soort medewerkers moeten gaan werven. Het management wil de 'nieuwe medewerkers' behalve op hun vakinhoudelijke kwaliteiten met name op hun commerciële kwaliteiten gaan selecteren. Dit betekent dat een profielschets opgesteld moet worden voor de nieuw aan te trekken advocaten en stagiaires. Om een dergelijke profielschets te kunnen vaststellen dient een competentieprofiel opgesteld te worden (= HRM-instrument). In het geval van Toga c.s. kan men gebruikmaken van de recent door de Nederlandse Orde van Advocaten opgestelde competentieprofielen voor de advocatuur.

Competentieprofielen kunnen onder andere worden gebruikt bij zowel de selectie als de opleiding als de loopbaanontwikkeling van medewerkers. Een competentie is het vermogen om een activiteit succesvol op het gewenste niveau te volbrengen. Het instrument competentieprofiel kan zowel de *instroom* als de *doorstroom* van medewerkers ondersteunen. Zoals we gezien hebben is het in het geval van Toga c.s. ook wenselijk om instroom en doorstroom met elkaar te verbinden door een groeipad op te stellen voor talentvolle stagiaires. Het verbindende HRM-instrument is in dit geval het opstellen van een competentieprofiel. Om een dergelijk competentieprofiel te kunnen opstellen is zowel HRM-expertise noodzakelijk (die kan overigens extern ingekocht worden) als diepgaande kennis van organisatie en markt, aanwezig binnen de eigen organisatie.

---

92. R.C.H. van Otterlo, Human Resource Management in de advocatuur. Noodzaak of luxe?, Advocatenblad 2002, 11, p. 474-477.

De competentieprofielen bieden potentieel een oplossing met betrekking tot de beloningsproblematiek bij Toga c.s.. We stelden eerder vast dat de HRM-thema's *instroom, doorstroom* en *beloning* 'op elkaar afgestemd' zouden moeten worden. Welnu, het competentieprofiel vormt een goede basis om binnen performance management een nieuwe beoordelingssystematiek op te bouwen. De competentieprofielen vormen de natuurlijke basis voor beoordelings- en beloningssystematiek. Ze geven immers aan waar op te beoordelen en op welk niveau van competent-zijn op de profielen beoordeeld dient te worden. Zoals we zagen diende ook het HRM-thema *inrichting taken en functies* 'gefit' te worden met instroom, doorstroom en beloning. Ook hierbij kunnen we uitstekend gebruikmaken van het instrument competentieprofiel. Het competentieprofiel kan immers als basis dienen voor functie-indeling en -classificatie. Het ontwerp daarvan vereist specifieke HRM-expertise en het is dan ook raadzaam om deze expertise, als die niet binnen de organisatie aanwezig is bij bijvoorbeeld een HRM-afdeling, extern in te huren.

Dus telkens wanneer we HRM-thema's inzetten om organisatieproblemen en uitdagingen op te kunnen lossen, dienen we ons steeds te vergewissen van de interdependentie van de verschillende HRM-werkgebieden en -instrumenten. Alleen door een goede 'onderlinge afstemming' tussen de werkgebieden en HR-instrumenten kunnen we optimale resultaten bereiken. Naast de nodige kennis van HRM vergt dit vooral de juiste attitude bij het management om steeds problemen integraal te benaderen, waarbij HRM niet wordt beschouwd als behorend bij de afdeling personeelszaken. In een advocatenkantoor is HRM everybody's business. Immers, HRM is veel te belangrijk om overgelaten te worden aan HR-managers!

Berenger and Crawford LLP (B&C)
Toga c.s. werd in 2004 ingelijfd door Berenger and Crawford LLP (B&C), een internationaal advocatenkantoor met een netwerk van eigen kantoren in alle EU-lidstaten en Latijns-Amerika. Tijdens de jaarlijkse partnervergadering van B&C in 2006, waarvoor alle partners wereldwijd naar Brussel zijn gekomen, domineren de volgende drie thema's de agenda:

1. De toekomstige organisatiestructuur van het advocatenkantoor B&C (wel of geen maatschap?, wel of geen nieuwe manier van werken?).
2. De (inter)nationale groeistrategie: wat is de concurrentiepositie van B&C?
3. Offshoring. Welke mogelijkheden en beperkingen biedt offshoring voor B&C?

Billable en Non Billable Hours en Offshoring

Van alle transacties in de financiële dienstverlening wordt ongeveer 43 procent uitgevoerd zonder dat er ook maar één menselijke handeling aan te pas komt. Geavanceerde ICT en standaardisatie vervangen het fysieke, hand- en routinematige kenniswerk. Kennis, ooit beschouwd als de ultieme sleutel tot succes, is een massa-artikel geworden. Het standaardiseren en moduIariseren van kennisproducten, -processen en -diensten betekent echter wél dat de aandacht voor het realiseren van productiviteitsstijgingen in de kenniswerkomgeving (thuis en/of op kantoor) sterk is toegenomen . Nu staan productiviteitsdruk en autonomie vaak op gespannen voet met elkaar.
Alhoewel het 'uurtjesdenken' typisch een gedachtegoed is dat uit het industriële tijdperk stamt, is urenregistratie wereldwijd een beproefde methode om de productiviteit van kenniswerkers te bevorderen. Met name in de professionele dienstverlening, waar het percentage kenniswerkers hoog is, worden bij de projecten voor derden per kenniswerker uren bijgehouden. Dit om uiteindelijk een transparante factuur de deur uit te kunnen sturen. Om de productiviteit te bepalen is het *directpercentage* (de verhouding tussen 'direct' aan klanten direct declareerbare uren én 'indirect' werk – acquisitie, opleiding, vergaderingen) van groot belang. Als het tegenzit in de markt heeft men de neiging om dit percentage op te schroeven. Maar dat werkt juist contraproductief. David Maister (1997, 46) is van mening dat: 'There exists, even among the best professionals and professional firms, a belief that only billable time (chargeable time spent serving clients) really counts. Anything nonbillable is viewed as either worthless or as not valuable as real work... What you do with your billable time determines your *current* income, but what you do with your nonbillable time determines your *future*.' In professionele organisaties zien professionals het zwaar opschroeven van het 'direct percentage' al snel als paniekvoetbal van het management. Het in de loop der jaren sterk gestegen uurtarief van kenniswerkers biedt echter voldoende voedingsbodem voor het herinrichten van organisaties en het vernieuwen van het businessmodel door initiatieven op het gebied van outsourcing, offshoring en offsourcing. In feite leveren deze initiatieven een nieuw verhaal (businessmodel) op dat mondiaal kan worden ingevoerd. Immers: uitbesteden vraagt om een excellent inzicht in de eigen kennisprocessen, -producten en -diensten. Hoe kun je anders een goed onderhandelingsresultaat met leveranciers bereiken?
Outsourcing is het uitbesteden van taken buiten een (deel van de) organisatie. Dit kan betekenen dat de taken *binnen* de organisatie naar een ander land worden overgebracht *(captive offshoring)*. Worden de bestaande taken echter naar een ander land gebracht én *uitbesteed* dan is er sprake van *offsourcing*. De hele discussie over outsourcing, offshoring en offsourcing heeft niet alleen tot creatieve spanning geleid, maar ook échte onrustgevoelens bij kenniswerkers teweeggebracht. Bij de ING bank (Volkskrant 2005) bemoeien zich de partners (man/vrouw) van de werknerners zich zelfs met de gevolgen van het outsourcingsproces!
Voor het eerst vindt er mondiaal geen strijd *tussen* concurrerende producten en diensten plaats, maar *onder* kenniswerkgemeenschappen, ieder met een ander prijskaartje. Het gaat om de beschikbaarheid en de opbrengsten van gelijkwaardig talent op een locatie waar minder kosten – met behoud van kwaliteit – worden gemaakt.

Verder heeft dit fenomeen van offshoring en -sourcing een nieuw mondiaal businessmodel met zich gebracht, waardoor de positie van de 'low en high value' kenniswerkers onder druk is komen te staan. Bij kennisgerichte uitbesteding van activiteiten heeft de leverancier doorgaans meer kennis in huis dan de inkoper. Dit vereist een hoge mate van onderling vertrouwen. Daarnaast is het bijna onmogelijk om vooraf aan te geven wat het resultaat van het uitbestedingtraject moet zijn. Zelfs na oplevering is de impact van de bijdrage van de toeleverancier moeilijk in te schatten.
Dit proces van 'offshore, near-shore or next door' is een 'disruptive' fenomeen dat niet meer terug te draaien zal zijn. Dit ondanks een aantal nadelen die aan deze manier van werken kleeft zoals het gebrek aan loyaliteit van medewerkers, het omgaan met gevoelige informatie en het niet kunnen – of mogen – bijdragen aan interne innovatieve 'denktanks'.

De toekomstige organisatiestructuur van het advocatenkantoor B&C (wel of geen maatschap?, nieuwe manier van werken?)
De HRM-vragen bij dit thema zijn:
1. Wat zijn de missie, visie, ambitie en strategie van B&C?
2. Wat is het organisatieontwerp van B&C?
3. Waar onderscheidt HRM zich van andere vormen van People Management (personeelsbeheer, personeelsbeleid en personeelsmanagement)?
4. Ontwikkel een HRM-strategie passend bij de gekozen organisatiestructuur (formele organisatie, 'organisatie-hark').
5. Maak een beredeneerde keuze voor 'zacht' of 'hard' HRM.
6. Welke *leverage* wordt nagestreefd en waarom?
7. Welke juridische specialisaties zijn nodig binnen Berenger and Crawford en hoe verkrijg je die?
8. Hoe worden de samenwerkingsverbanden (groepen, teams, netwerken, communities) nationaal en internationaal georganiseerd?
9. Hoe worden topjuristen geworven en/of opgeleid (make or buy)?
10. Hoe wordt de impact van de HRM-inspanningen gemonitord/gemeten?
11. Hoe wordt de dienstverlening berekend, *billable hours* of anderszins en waarom?

De (inter)nationale groeistrategie: wat is de concurrentiepositie van B&C?
De HRM-vragen bij dit thema zijn:
1. Wat zijn de missie, visie, ambitie en strategie van B&C?
2. Wat is het organisatieontwerp van B&C?
3. Waar onderscheidt HRM zich van andere vormen van People Management (personeelsbeheer, personeelsbeleid en personeelsmanagement)?
4. Welke HRM-strategie kiezen jullie passend bij de gekozen organisatie- en marketingstrategie? Maak een beredeneerde keuze.
5. Welke vorm van HRM, 'zacht' of 'hard', hoort bij die strategie en waarom?
6. Welke juridische specialismen hebben jullie nodig binnen jullie strategie en hoe verkrijg je die (*make or buy*)?
7. Welke arbeidsmarktstrategie denken jullie nodig te hebben voor het aantrekken

van nieuw talent en hoe denken jullie bestaand talent te kunnen blijven binden aan de organisatie?
8. Welke leiderschaps- en managementstijlen zijn nodig bij de door jullie gekozen strategie en hoe denk je die te kunnen implementeren?
9. Welke HRM-strategie ontwikkelen jullie ten behoeve van al het ondersteunende personeel, inclusief de para-legals?

Law firms see change in attitudes

Deloitte offshoring and outsourcing research report on legal sector

Published: 26/4/05

Contact: Sarah McFarlane
Deloitte
Public Relations
+ 44 (0)20 7303 5149

Nearly all law firms will be outsourcing and offshoring at least some of their operations within the next two years, according to new research from Deloitte.

Almost all law firms are currently outsourcing some or all of their support functions. IT operations are the most commonly outsourced function, with 61 percent of firms confirming that they already outsource or plan to in the near future. Document management and production is the most common operation outsourced to an offshore location by law firms, with 31 percent of respondents planning or already doing so.

The report showed a trend for larger law firms to be either considering or planning to extend their outsourcing to HR, payroll, knowledge management and finance functions. Paul Thompson, professional practices partner at Deloitte, says: 'Outsourcing and offshoring are still relatively new concepts to the legal sector and there are real opportunities for law firms to gain competitive advantage by considering which of their operations could be appropriately managed this way.

Mid-tier firms have traditionally steered away from outsourcing and particularly offshoring for two reasons – the lack of partners willing to work with smaller firms and the scale of their operations. However, there is increasing interest from both these firms and vendors in 'shared service' arrangements, where several firms work with a common outsourcing vendor, to set up operations on or off shore, giving these firms economies of scale.'

The key reasons for law firms to consider offshoring or outsourcing operations is the opportunity to make cost savings and improve service levels. The typical cost savings in areas such as document management and IT operations ranged between 10-20 percent, with a typical pay back period of one to two years.

The survey confirmed that many of the main barriers to working with external partners are cultural rather than practical ones. Paul Thompson, says: 'Law firms face more challenges during the decision making process for offshoring or outsourcing operations, compared with other industries, such as telecoms and financial services. Several firms highlighted seeking board approval for outsourcing as a significant hurdle in the planning process.

Challenges in obtaining partner buy-in where many firms will have limited experience in outsourcing or offshoring, coupled with the lack of outsourcing partners with experience in the legal sector, has led to a slow take up. However, the legal sector is where the financial services and telecoms sectors were only a couple of years ago, and the transformation in these industries' attitudes towards outsourcing and offshoring has happened at a remarkable pace. This is an indication of what is happening now in the legal sector.'

Ends

Notes to editor

Definitions:
- Outsourcing – contracting specific services to specialist firms, based either locally or 'offshore'.
- Offshoring – relocating activities to lower-cost offshore locations, either to outsourced or internal providers.

The law firms who responded to the survey represent a good cross section of the UK's top 40 firms. They range in size from fewer than 150 to over 1,200 fee earners. In most instances the survey was completed by the COO, CIO or Managing Partner.

Andrew Baxter finds law, architecture and actuarial services just a few of the areas set to follow the lead of accountants and taxation

Financial Times, 02 juni 2005

Accountancy and taxation have been outsourcing for years and now other professional services are following their lead.

Worries about security and confidentiality are being eroded as familiarity grows.

The legal sector is one where outsourcing and offshoring – outsourcing overseas – are relatively new. According to Paul Thompson, professional practices partner at Deloitte, there are opportunities for competitive advantage. A survey of top UK law firms, published by Deloitte in April, found almost all were outsourcing, with document production the most frequent activity.

Mr Thompson says law firms 'are looking at some of the more complex areas – IT, data centres, finance and practice management systems – and paralegal activities. The business case is based not only on reducing costs but on improving efficiency and quality of infrastructure.'

Steve Naylor, head of legal services at outsourcer WNS Global Services, sees document management as the start of offshoring. Other candidates, he says, are automated legal processing, such as remortgage conveyancing; judgment-based legal processing, for example house move conveyancing or personal injury claims; and legal research.

The concerns law firms have about offshoring are illustrated by the planning behind a pilot project that began a few weeks ago at Clifford Chance, which is outsourcing some document production to Mumbai.

Setting up the process involved investing a tremendous amount of time and effort in ensuring security and confidentiality, says Sal Curreri, US director of administrative services. 'If you lose the confidence of the attorneys or the clients, you have failed, whatever costs you might have taken out of providing the service.'

India Courts Western Law Firms

By Rashmi Agarwal, Business Writer, India

India's lumbering justice system may be a dread to its citizens but is on its way to becoming the darling of US and UK-based law firms. Legal eagles of New York or London are apparently taking comfort from the country's elaborate, British-modeled legal structure, which they want to exploit for paralegal work and research support.
In the US alone, the potential for such outsourcing orders could be as high as $2 billion annually, most of which could land in India, estimates OfficeTiger LLC. OfficeTiger's 2004 study shows the top 200 US law firms spend about $20 billion annually on office operations and documentation (zie tabel 35), a cost they cut via outsourcing for the sake of operational efficiencies.
Legal services are thus beginning to join a swelling list of functions-customer contact, transaction services, debt collection, and payroll processing-the West is looking to migrate to the subcontinent. And, similar to the earliest suite of services sent offshore, legal support may mean attractive deals for local suppliers marketing themselves as the world's back office.
Harris Miller, President of the Information Technology Association of America, says private law firms that have international operations are the ones most likely to source globally, though much of what they send out will be very routine.
'Lawyers must have a very trusted relationship with their clients, and much of what they deal with is highly sensitive information. Unless their clients are comfortable having that information sent abroad, they will be very reluctant to choose global sourcing,' he says. 'The kind of legal work most likely to be outsourced globally will be in general non-contentious legal processing, such as real estate transactions.'
The cost savings are there. India's pool of poorly paid lawyers can offer US and UK-based law firms savings of as much as 40-60 percent in documentation, research, and drafting of case briefs, says Intellevate LLC's Chief Executive Officer Leon Steinberg. 'The savings depend on the type of the service outsourced,' Steinberg says.
Randy Altschuler, Co-chief Executive Officer at OfficeTiger, estimates that support services are a substantial cost factor for the top 200 US law firms. For example, Altschuler says these firms typically spend $2.9 million annually on word processing and secretarial jobs alone. The budget for legal recruiting is $350 million and human resources departments can cost $200 million.
The supplier, which last year won a $52 million investment from private-equity firm Francisco Partners Management LLC, is one of the US suppliers tapping into Indian talent for servicing corporate America's legal services needs.
'Assuming a very conservative outsourcing potential of 10 percent (of the $20 billion spent by US law companies on office operations), the resulting market opportunity is about $2 billion. Of this, India will have the largest share, offering both transactional and high-end services,' says the executive from OfficeTiger, whose Indian operations are based in Chennai, where the British colonial government set up a provincial High Court in 1862.

'What is interesting for India is that within the British Commonwealth, there are 54 countries that have similar legal processes,' says Mark Kobayashi-Hillary, director of global research at the Commonwealth Business Council. 'This fits into the whole idea of knowledge process outsourcing.'

Early Movers

Much like OfficeTiger, Intellevate offers the 'office next door' to legal wings of US companies and law firms. Operating from the outskirts of New Delhi, India's political capital, the company deals largely in patent and trademark paralegals for its US clients and supports them with research, documenting, and database services. Intellevate runs a night shift in India to provide its clients with an 'always on' service.

Steinberg says India's lower salary base allows the company to have more involved quality control than is affordable in the US. Intellevate's clients get their work done at $20-$40 an hour, significantly less than the $100-$250 an hour that companies charge for similar services in the US, according to Steinberg.

'The real trend is that many legal departments of major corporations are realizing the value of using offshore resources,' says Steinberg. 'They are looking at the full spectrum of services from data entry to sophisticated analysis.'

The size of the patent drafting and support services market potential is $50 million a year. 'Most of that will go to India,' says a bullish Steinberg.

The demand is helping the company grow. Steinberg says its 80-member workforce in Noida, on the fringes of New Delhi, and in Bangalore will more than double in a year.

Atlas Legal Research says it has been exclusively doing high-end work, such as drafting complex legal briefs that are submitted in US courts. 'We have written legal briefs for all kinds of cases-from dog bites and divorces to medical malpractice, trademark, and federal securities,' says Abhay Dhir, the India-born founder of Atlas Legal, which set up operations in India four years ago.

'The one thing I knew well coming out of law school was how to research a case and write a legal brief,' says Dhir, whose first assignment after law school was a clerkship with a federal district judge in Texas. 'A lot of lawyers in the US don't have the time or the aptitude to do that.'

Dhir has been operating out of offices in Dallas and Bangalore with a clutch of less than 10 lawyers. They serve about 100 clients.

Even Small UK Firms Are Interested in India

Kobayashi-Hillary, who was in India in early March to help UK-based companies scout for offshore suppliers, says India could be the happy hunting ground for UK companies seeking legal services support. He says the list includes even small, regional firms.

Sniffing the opportunity, Reading-based Xansa, an IT outsourcing company in England, is extending the scope of its operations to include legal services support. The company has initiated project-based support to a big law firm it is reluctant to identify. Success of this venture, what Xansa calls a 'pilot project', could drive its entry into a new vertical.

'We have started pilot work on some paralegal services,' says Padmaja Krishnan, Director, Marketing and Business Development at Xansa's India unit, which is planning a four-fold rise in its manpower here to 10,000 people by 2007.
She says that the scope of work initially would include time-bound activity, such as processing large volumes of legal documents, and the nature of work 'will essentially be supporting attorneys on the ground'.

Hiring Indian Lawyers

In countless courts spread across India, hundreds of cases come up each day for hearing, with vast armies of lawyers probing the progress of their long-to-concludearguments. The vast majority of these lawyers don't make it to the top of the professional pyramid and are scouting for meaningful employment. That means very few of the 298,000 law school graduates joining the pool annually can aspire to participate in high-profile civil or criminal cases.
The cavernous stone corridors of Indian law courts could emerge as the recruiting campuses for outsourcing companies looking to hire legal professionals.
'We could have a team from the legal profession and some crossing over from other industries,' says Krishnan. 'We have a wide choice of lawyers, as our legal service is in sync with the rest of the developed world. We have the resource base to tackle the complexities that this service may throw up.'
Therefore, companies such as Xansa or Intellevate won't need to look far to sign up talented law graduates. However, for many recruits a job on the back-up desk may be a short-term career option.
Take for example Ali Naqvi, a 25-year-old New Delhi-based advocate. Naqvi says working in outsourcing firms could be a great idea for 'legal executives'-law graduates who choose to work for companies as a legal liaison and those who can't take the long gestation period.
'I would treat it as some place where I can make some quick money,' says the upcoming lawyer, who practices at the New Delhi-based Supreme Court and who works at Juris Consultus, a medium-sized law firm.

Some Worries

The opportunities are immense, but India needs to move cautiously, weeding out practices that may raise concerns over data security and service quality in buyers' markets according to industry members. Although India now has joined the elite league of nations with a WTO-compliant patents system, intellectual property and data may not always be tamper-proof within Indian territory.
Miller says lawyers also have other issues such as rationalizing any conflict of interests. 'Lawyers cannot represent two businesses on opposing sides of a legal dispute unless both sides waive the conflict of interest prohibition,' he says. 'That could impact their ability to outsource.'

For the time being, suppliers and buyers will have to be content with paralegal work being performed in India in a win-win situation for all.

Tabel 35. Approximate total spending by the top 200 US law firms

1.	Office operations	$6.2 billion
2.	Word processing and secretarial	$2.9 billion
3.	Information systems	$2.5 billion
4.	Marketing	$850 million
5.	Finance and accounting	$500 million
6.	Library	$500 million
7.	Legal recruiting	$350 million
8.	Human resources	$200 million
9.	Legal research	$620 million
10.	Litigation support	$4.9 billion
11.	Patent & trademark prosecution	$400 million
Total:		**$19.92 billion**

Source: Hildebrandt International, OfficeTiger, 2004 Publish Date: May 2005

Welke mogelijkheden en beperkingen biedt offshoring voor B&C?
De HRM-vragen bij dit thema zijn:
1. Wat zijn de missie, visie, ambitie en strategie van B&C?
2. Wat is het organisatieontwerp van B&C?
3. Waar onderscheidt HRM zich van andere vormen van People Management (personeelsbeheer, personeelsbeleid en personeelsmanagement)?
4. Ontwikkel een HRM-strategie passend bij de gekozen organisatiestructuur (formele organisatie, 'organisatie-hark').
5. Welke leiderschaps- en managementstijlen zijn nodig bij de door jullie gekozen strategie en hoe denk je die te kunnen implementeren?
6. Welke vormen van offshoring onderkent men?
7. Stelt *offshoring* bijzondere eisen aan het HRM-beleid van Berenger and Crawford en zo ja welke dan? Leg uit.
8. Welke vorm(en) van HRM ('zacht' en 'hard') zouden jullie gebruiken voor Berenger and Crawford in een offshore-strategie?
9. Welke HRM-werkgebieden komen zelf voor offshoring in aanmerking?
10. Hoe gaan jullie je op de arbeidsmarkt voor juridisch talent onderscheiden ten opzichte van concurrerende kantoren en andere juridische dienstverleners?
11. Hoe worden de samenwerkingsverbanden (groepen, teams, netwerken, communities) nationaal en internationaal georganiseerd?
12. Tegen welke culuurproblemen ga je aanlopen en hoe los je die op?
13. Op basis van welke overwegingen ga je wat 'offshoren'? Wat zijn de voor- en nadelen?

6.11 Casus 'Toga c.s.': 'interne fit' van HRM-instrumenten

Hieraan voorafgaand heb ik aan de hand van casus Toga c.s. de fit van HRM-thema's laten zien. Een niveau dieper, en daarmee concreter, bevinden zich de HRM-instrumenten. Op instrumentenniveau vindt eveneens een *fit* plaats. Voortbordurend op de casus Toga c.s. zullen wij nu de *fit* laten zien aan de hand van integratie van de HRM-instrumenten.
Om de winstgevendheid- en groeiambities van Toga c.s. te kunnen realiseren zal Toga c.s. een andere soort medewerkers moeten werven. Het management wil de nieuwe medewerkers naast op hun vakinhoudelijke kwaliteiten met name selecteren op hun commerciële kwaliteiten. Dit betekent dat een profielschets opgesteld moet worden voor de nieuw aan te trekken advocaten en stagiaires. Om een dergelijke profielschets te kunnen vaststellen dient een competentieprofiel opgesteld te worden (HRM-instrument). In het geval van Toga c.s. kan men gebruikmaken van de recent door de Nederlandse Orde van Advocaten opgestelde competentieprofielen voor de advocatuur (zie tabel 19).

Competentieprofielen kunnen onder andere worden gebruikt bij zowel de selectie als de opleiding als de loopbaanontwikkeling van medewerkers. Het instrument heeft zowel betrekking op de *instroom* als op de *doorstroom*. Zoals we gezien hebben is het in het geval van Toga c.s. ook wenselijk om instroom en doorstroom met elkaar te verbinden door een groeipad op te stellen voor talentvolle stagiaires (zie figuur 2). Het verbindende HRM-instrument is in dit geval het opstellen van een competentieprofiel. Om een dergelijke competentieprofiel te kunnen opstellen is zowel HRM-expertise noodzakelijk (die kan overigens extern ingekocht worden) als diepgaande kennis van organisatie en markt, aanwezig binnen de eigen organisatie. De competentieprofielen zorgen voor nog een verbinding bij Toga c.s. Zoals we zagen was er mogelijk ook een beloningsprobleem bij Toga c.s. We stelden in dit verband vast dat de HRM-thema's *instroom*, *doorstroom* en *beloning* 'gefit' zouden moeten worden. Welnu, het competentieprofiel vormt tevens een goede basis om een beoordelingssysteem op te bouwen. Beoordelen en belonen horen bij elkaar ('boter bij de vis!'). Door nu selectie, ontwikkeling, beoordeling en beloning met elkaar te verbinden op basis van de competentieprofielen hebben we in wezen een *interne fit* gerealiseerd op instrumentenniveau. De competentieprofielen vormen de natuurlijke basis voor beoordelings- en beloningssystematiek. Ze geven immers aan waarop te beoordelen en op welk niveau van competent zijn op de profielen beoordeeld dient te worden. Zoals we zagen diende ook het HRM-thema *inrichting taken en functies* 'gefit' te worden met instroom, doorstroom en beloning. Ook hierbij kunnen we uitstekend gebruikmaken van het instrument competentieprofiel. Het competentieprofiel kan immers als basis dienen voor functie-indeling en -classificatie. Het ontwerp daarvan vereist overigens wel behoorlijk wat HRM-expertise en het is dan ook raadzaam om deze expertise, als die niet binnen de organisatie aanwezig is, bij bijvoorbeeld een personeelsafdeling extern in te huren.

Dus telkens wanneer we HRM-thema's inzetten om organisatieproblemen op te kunnen lossen, dienen we ons steeds te vergewissen van de interdepentie van de verschillende HRM-thema's en -instrumenten. Alleen door een goede 'fit' tussen die thema's en instrumenten kunnen we optimale resultaten bereiken. Naast de nodige kennis van HRM vergt dit vooral de juiste attitude bij het management om steeds problemen integraal te benaderen, waarbij HRM niet het thema is waar alleen personeelsmanagers zich mee bezig moeten houden. Immers, HRM is veel te belangrijk om overgelaten te worden aan HR-managers!

6.12 Integratie van HRM met het strategische beleid van de organisatie ('strategische fit')

In de meeste gevallen is er in de praktijk nauwelijks sprake van echte integratie van personele activiteiten met het strategische beleid van organisaties[93] (Biemans, 1999/Van Otterlo, 2000). Op zichzelf is dat ook niet zo verwonderlijk. Veel organisaties verkeren voor wat betreft de invulling van het personeelsmanagement (nog) in de fase van personeelsbeheer. Deze fase wordt ook wel aangeduid als de eerste fase van een viertal fasen van ontwikkeling, waarvan de laatste fase, de vierde, aangeduid wordt als HRM. Born en Nollen (1998: 24) hebben de ontwikkelingsstadia van de personele functie benoemd, waarbij: technisch versus sociaal en beheer versus beleid versus strategie.[94] Hierbij dient evenwel opgemerkt te worden dat een lineaire ontwikkeling binnen specifieke vormen van HRM in de bedrijfswerkelijkheid niet bestaat maar dat er sprake is van een zich situationeel ontwikkelend HRM (Jansen, 1996: 38-43).

Born en Nollen (p. 22-23) verstaan in dit verband onder:
- Personeelsbeheer: de personele functie is uitvoerend en beheersmatig van aard zonder relaties met het strategische beleid.
- Personeelszorg: paternalistische vorm van personeelszorg (min of meer gelijk aan patronage) waarbij aandacht besteed wordt aan de behoeften van het personeel (woningen, arbeidsomstandigheden).
- Personeelsbeleid: personele functie van uitvoerende en volgende (voor wat betreft het strategisch beleid) aard.
- Sociaal beleid: aandacht binnen de strategische beleidsvorming van de organisatie voor de maatschappelijke context van de organisatie.
- 'Hard' HRM: integratie tussen de personele functie en de strategische beleidsvorming, door afstemming van de personeelsactiviteiten onderling en op het strategische beleid, waarbij de werknemer geldt als kwantitatieve kosten- en opbrengstenpost.

93. Zie o.a. P.J. Biemans, Professionalisering van de personeelsfunctie. Een empirisch onderzoek bij twintig organisaties, Delft: Eburon 1999 en R.C.H. van Otterlo, De invloed van personeelsmanagement op de prestatie van ondernemingen. Een theoretisch-empirisch onderzoek naar de mate van succes van personeelsmanagement in traditionele bedrijven binnen de profit sector, Rotterdam: Chester Crewe Management Services 2000.

94. J.B.G. Born en M.J.W.T. Nollen, Kwaliteit van de personeelsfunctie: de ontwikkeling van een meetinstrument (diss. Katholieke Universiteit Brabant), Serie Militair-Bedrijfskundige publicaties, Faculteit der Militaire Bedrijfskunde van de Koninklijke Militaire Academie te Breda, 1998, p. 24.

- 'Zacht' HRM: integratie tussen de personele functie en de strategische beleidsvorming door een zo groot mogelijke betrokkenheid van de werknemer te realiseren door motiverend en communicerend leiderschap. De werknemer geldt hier primair als te ontwikkelen in plaats van als te managen resource.

6.13 Ulrich: P&O-er van ondersteuner tot partner[95]

Het is waarschijnlijk niet zo'n probleem dat veel organisaties voor wat betreft hun personeelsmanagement nog in de fase van personeelsbeheer verkeren.Vooral bij kleinere op vervaardiging, bewerking en distributie van producten of het verlenen van eenvoudige diensten gerichte organisaties die zich in een relatief stabiele markt bevonden kan met dit personeelsbeheer volstaan worden en hoeft men niet zozeer te streven naar strategische inbedding daarvan, zoals bij HRM het geval is.[96] In de praktijk van de kleinere organisatie volstaat vaak praktisch personeelswerk dat neerkomt op 'gecoördineerd duwen en trekken aan mensen in de context van een arbeidsorganisatie'.[97] Bij wat grotere organisaties zal evenwel de vraag relevant zijn welke *bottom line*-doelstellingen de organisatie nastreeft en dus ook welke bijdrage personeelsmanagement aan het realiseren van die *bottom line*-doelstellingen kan leveren. Hierbij hoort tevens de vraag hoe de bijdragen van HRM gemeten kunnen worden. Elders zijn hiervoor werkwijzen, instrumenten en modellen ontwikkeld.[98] Zie ook wat wij in paragraaf 2.5 over het werken met ken- en stuurgetallen hebben geschreven.

Nu keren we weer even terug naar de integratie van HRM met het strategische beleid van de organisatie. Zoals we eerder zagen is strategieontwikkeling in feite niets anders dan vormgeven aan de ambitie van een onderneming. Binnen het begrip strategie staat het begrip plan centraal. Strategie wordt ook wel vertaald met 'plan volgens welk men te werk gaat'.[99] In deze betekenis is strategie dan het plan dat ten grondslag ligt aan de verwezenlijking van de ambitie van de organisatie. Strategisch HRM dient dan een plaats te hebben in dat plan en dient, zoals we eerder zagen, 'gefit' te worden met de andere instrumenten die onderdeel uitmaken van dat strategische plan. Die instrumenten hebben dan vaak betrekking op andere onderdelen van het management van de onderneming zoals onderdelen van financiën en operations, afhankelijk van de aard van de business en de aard van de organisatie.

---

95. Dave Ulrich, Human Resource Champions: The Next Agenda for Adding Value and Delivering Results, Boston: Harvard Business School Press 1997.
96. R.C.H. van Otterlo, Human Resource Management in de advocatuur. Noodzaak of luxe?, Advocatenblad 2002, 11, p. 474-477.
97. P.G.W. Jansen, Organisatie en mensen. Inleiding in de bedrijfspsychologie voor economen en bedrijfskundigen. Soest: Nelissen 2002, p. 38.
98. J.H. Dijkstra, Rendement uit P&O, Amsterdam: WEKA 2003, met bijdragen van R.C.H. van Otterlo, J.H. Dijkstra, G. Evers en P.R. Baarda, Werken met de HR Scorecard, Alphen aan den Rijn: Kluwer 2003. J.H. Dijkstra en J. van den Berg (red.), Meer rendement uit P&O, Alphen aan den Rijn: Kluwer 2003.
99. Zie o.a. Van Dale, groot woordenboek der Nederlandse taal, laatste druk.

Beginnende ondernemingen hebben vaak (nog) geen strategie geformuleerd. Men start immers veelal vanuit een product of dienst en zoekt daar dan de markten en klanten bij, zonder zich al te druk te maken over ambitie, positionering of productdifferentiatie. Na verloop van tijd, zeker als men de pioniersfase verlaten heeft, bijvoorbeeld na zo'n vijf jaar, zal een organisatie de behoefte krijgen om haar ambitie te formuleren. Vanzelf komt men dan op de noodzaak om een strategie, in feite dus een plan, te ontwerpen waarmee die ambitie gerealiseerd kan worden.

Omdat menselijke arbeid in de meeste organisaties van cruciaal belang is om de ambitie te kunnen realiseren, is het aan te raden van meet af aan de personele vraagstukken die verband houden met het strategische plan te betrekken bij de strategie als geheel. Laten we de eerder beschreven casus, advocatenkantoor Toga c.s., eens bezien in het kader van HRM-strategie. Wat moet de leiding van het kantoor wel en wat moet zij niet doen in dat verband? Wat was ook weer de ambitie van Toga c.s.? Ze wilde regionaal toonaangevend worden in arbeidsrecht, verzekeringsrecht en faillisementsrecht, gericht op de zakelijke markt. Ze streefde bovendien naar uitbreiding van het marktaandeel en en hogere winstgevendheid per partner, door verhoging *leverage* (de verhouding partner/(advocaat-)medwerker) naar 1 : 4. Om die ambitie waar te kunnen maken diende Toga c.s. een aantal acties te ondernemen:

1. Reorganisatie van het kantoor gericht op verhoging *leverage* en vergroting acquisitievermogen en opheffing strakke hiërarchie.
2. Aantrekken van potentiële topmedewerkers (hele goede stagiaires).
3. Verloop onder advocaat-medewerkers tot staan brengen.

Toga c.s. zal een HRM-strategie moeten ontwikkelen die ondersteunend is voor het realiseren van de ambitie. Deze strategie zal een mix zijn van hard en zacht HRM (zie eerdere definities) waarbij het hoofdaccent ligt op zacht HRM. Immers, ontwikkeling van human resources staat centraal bij Toga c.s. in haar streven naar excellentie (regionale top). De HRM-aandachtsgebieden *scholing* en *ontwikkeling van kennis en vaardigheden van het management* zijn sleutelbegrippen voor Toga c.s. bij het realiseren van haar ambitie. In het verlengde hiervan is het noodzakelijk om het belonings- en beoordelingssysteem aan te passen (hard HRM). Door de noodzakelijke HRM-instrumenten op drie niveaus, namelijk intern, onderling en strategisch, af te stemmen realiseert Toga c.s. de benodigde HRM-fit, waarmee zij uiteindelijk haar strategische doelstellingen kan realiseren. Zonder een dergelijke HRM-strategie is het onmogelijk voor een organisatie om haar ambitie te realiseren. Immers, een goede 'fit' tussen HRM en bedrijfsstrategie moet leiden tot een betere (bedrijfs)prestatie.

6.14 Opdracht

Maak een businessplan voor Toga-cs waaruit blijkt dat de visie en doelstellingen van het kantoor realiseerbaar zijn.

6.15 Organisatorische context voor HRM

HRM kan bijdragen aan het leveren van de optimale organisatorische condities waarbinnen professionals kunnen gedijen en kunnen bloeien. In dit opzicht is HRM facilitair. In zekere zin zijn ook organisaties eerder facilitair voor de professionals die er werken dan dat de professionals facilitair zijn voor de organisaties waar zij werken.

Wel is het in de moderne tijd zo dat ook professionals, daar waar zij vroeger met name solistisch opereerden, nauwelijks nog op een kwalitatief voldoende niveau buiten organisatieverband kunnen opereren. Wetgeving en jurisprudentie worden steeds ingewikkelder en het is voor individuele professionele juridische dienstverleners bijna niet meer mogelijk om zich voldoende op de hoogte te blijven houden van nieuwe ontwikkelingen. De hoeveelheid informatie die juridische professionals moeten verwerken wordt steeds groter en is door een enkel individu bijna niet meer te overzien. In dit verband is het dan ook enigszins merkwaardig dat bijvoorbeeld het aantal 'eenpitters' binnen de advocatuur in 2003 is toegenomen ten opzicht van 2002 in plaats van juist afgenomen. Op wat langere termijn zal deze 'trend' waarschijnlijk gekeerd worden.[100] Wellicht dat nieuwe ontwikkelingen zoals netwerkorganisaties en het gebruik van on line juridische databanken professionals op langere termijn minder afhankelijk maken van professionele organisaties. Voorlopig biedt de professionele organisatie nog een goed kader voor juristen om zich tot volwaardig professional te ontwikkelen en als zodanig in de markt te opereren. Voor het publiek bieden professionele juridische organisaties zoals advocatenkantoren vooralsnog een garantie op continuïteit en kwaliteit. Dit onder voorwaarde dat binnen de kantoren voldoende aandacht wordt besteed aan het verder ontwikkelen en waarborgen van het professionele gehalte van de dienstverlening door de individuele professionals. HRM kan hieraan een nuttige bijdrage leveren.

100. R.C.H. van Otterlo, H.K.J.M. de Sonnaville en P.G.W. Jansen, Advocatuur en organisatie. Komt het einde van de zelfstandig gevestigde advocaat in zicht?, Advocatenblad 2002, 19, p. 848-852.

7 Tot slot

Zoals aan het begin van deze tekst reeds gezegd is heeft dit boek niet de pretentie alle onderdelen en aspecten van het managen van professionals en organisaties van professionals te belichten.

Relatief lang is stilgestaan bij het onderwerp Human Resource Management (HRM). De centrale gedachte daarachter is dat HRM bij uitstek het werkveld is dat zich met vele aspecten rond professionals bezighoudt en bezig dient te houden. HRM dient niet alleen intern een samenhangend geheel te zijn en op professioneel verantwoorde wijze te worden uitgevoerd. Het dient ook goed afgestemd te worden op de andere werkvelden zoals financiën, marketing en operations en stevig verankerd te zijn in de strategie van de organisatie.

Het aansturen van professionals in de lijn, ofwel leidinggeven aan professionals, is slechts op beperkte schaal mogelijk en wenselijk. Immers, professionals zijn over het algemeen heel goed in staat om zichzelf te leiden. Te veel sturing belemmert de creativiteit en het initiatief van de professionals die een belangrijke rol vervullen bij het creëren van nieuw werk en daarvoor relatief veel ruimte moeten hebben. Aan de andere kant zullen ook SMART-doelstellingen geformuleerd worden zodat de bijdrage van de professional aan het realiseren van de organisatiedoelstelling gemeten kan worden. Ook zal regelmatig getoetst worden of de professional over de juiste competenties beschikt en zal hij of zij gestimuleerd worden om de vereiste competenties te ontwikkelen.

HRM verdient een centrale plaats in modern management van professionele organisaties omdat HRM naar alle waarschijnlijkheid voor deze organisaties een belangrijk instrument zal blijken te zijn om de concurrentieslag te winnen. Immers, uiteindelijk is het een combinatie van de kwaliteit van de individuele professionals met de kwaliteit van de dienstverlening van de gehele organisatie die bepaalt hoe succesvol een organisatie in de markt zal zijn.

Literatuur

Argyris, C. and D. Schön (1974), Theory in practice: Increasing professional effectiveness, San Francisco: Jossey-Bass.

Argyris, C. and D. Schön (1978), Organizational learning: A theory of action perspective, Reading: Addison Wesley.

Armenakis, A.A., S.G. Harris and H.S. Feild (1999), Making change permanent: A model for institutionalizing change interventions, Research in Organizational Change and Development, 12, p. 97-128.

Bennis, W., K. Benne and R. Chin (1962), The Planning of Change. Readings in the Applied Behavioral Science, New York: Holt, Rinehart & Winston.

Biech, Elaine (2003), Marketing Your Consulting Services; A Business of Consulting Resource, Hoboken: JohnWiley & Sons (published by Pfeiffer).

Biemans, P.J. (1999), Professionalisering van de personeelsfunctie. Een empirisch onderzoek bij twintig organisaties, Delft: Eburon.

Born, J.B.G. en M.J.W.T. Nollen (1998), Kwaliteit van de personeelsfunctie: de ontwikkeling van een meetinstrument (diss. Katholieke Universiteit Brabant), Serie Militair-Bedrijfskundige publicaties, Faculteit der Militaire Bedrijfskunde van de Koninklijke Militaire Academie te Breda.

Burns, T. and G.M. Stalker (1961), The Management of Innovation, London: Tavistock Publications Ltd.

Coch, L. and J. French (1948), Overcoming Resistance to Change, Human Relations, 1, p. 512-532.

Danko, Q (2002), Nuttige gekken, Intermediair van 3 oktober.

Davenport, T.H. and L. Prusak (1998), Working Knowledge: How Organizations Manage What They Know, Boston: Harvard Business School Press.

Dijkstra, J. (2001), De kunst & kunde van kennismanagement, Schiedam: Scriptum.

Dijkstra, J.H. (red.) (2003), Rendement uit P&O, Amsterdam: WEKA uitgeverij.

Dijkstra, J.H., G. Evers en P.R. Baarda (2003), Werken met de HR Scorecard, Alphen aan den Rijn: Kluwer (HR Management Plus).

Dijkstra, J.H. en J. van den Berg (red.) (2003), Meer rendement uit P&O, Alphen aan den Rijn: Kluwer (Themakatern).

Dullaert, C.W.M. en H.F.M. van de Griendt, De lastige partner. Management van een advocatenkantoor, Den Haag: Reed Business Information.

Edvinsson, L. (1992), Service leadership-some critical roles, International Journal of Service Industry Management, vol. 3, nr. 2, p. 33.

Flikkema, M. and R.C.H. van Otterlo (2003), Van halfwas tot professional. Management van professionals vanuit ontwikkelperspectief, Opleiding & Ontwikkeling, nr. 5, p. 19–26.

Haas, M.J.O.M. de (2004), De professionele manager en de managing professional, Advocatenblad, 16, p. 708-710.

Halmos, P. (1967), Personal service society, British Journal of Sociology (18), p. 13-28.

Holbeche, Linda (1999), Aligning Human Resources and Business Strategy, Oxford: Butterworth Heinemann.

Jacobson, E.H. (1957), The effect of changing industrial methods and automation on personnel, Paper presented at the Symposium on Preventive and Social Psychiatry, Washington.

Jansen, P.G.W. (2002), Organisatie en mensen. Inleiding in de bedrijfspsychologie voor economen en bedrijfskundigen, Soest: Nelissen.

Kamer van Koophandel (2005), Het marketingplan als onderdeel van het ondernemingsplan, www.kvk.nl/topic/topic.asp?topicID=44.

Kaplan, R.S. and D.P. Norton (2004), Strategy Maps: Converting Intangible Assets into Tangible Outcomes, Boston: Harvard Business School Press.

Kaptein, H.J.R. (2003), Rechten, plichten en deugdelijke juristen. Professionele ethiek als principieel rolbewustzijn, in: P.B. Cliteur, H-M.Th.D. ten Napel (red.), Rechten, plichten, deugden, Nijmegen: Ars Aequi Libri, p. 141-152.

Kessels, Joseph W.M. en Rob F. Poell (red.) (2001), Human resource development. Organiseren van het leren, Groningen: Samsom.

Kluytmans, Frits (1999), Arbeidsrelaties tussen schijn en werkelijkheid. Reflecties over personeelsmanagement, HRM en personeelswetenschappen, Deventer: Kluwer/Open Universiteit Nederland.

Kouwenhoven, C.P.M. en P.L.R.M. van Hooft (2003), De praktijk van strategisch personeelsmanagement. Een methode, Deventer: Kluwer.

Kotter, John P. (1999), John P. Kotter on What Leaders Really Do, Boston: Harvard Business School Publishing (Harvard Business Review Book).

KSU (2003), De stand van de advocatuur in Nederland, Amsterdam: KSU.

Kwakman, Frank (2002), Professionals en acquisitie. Succesvol opdrachten verwerven in de zakelijke dienstverlening, Schoonhoven: Academic Service.

Lewin, K. (1947), Frontiers in Group Dynamics. Concept, Method and Reality in Social Science, Human Relations (1), p. 5-41.

Lippitt, R., J. Watson and B. Westley (1958), The Dynamics of Planned Change, New York: Harcourt, Brace & World.

McCarthy, J. (2001), Basic Marketing: A Managerial Approach, Homewood: Irwin (13th ed./1th ed.: 1960).

Maister, D.H. (1997), Managing the Service Firm, New York: Free Press Paperbacks.

Maister, D.H. (1999), Management van professionele organisaties, Academic Service (oorspr. titel: Managing the professional firm, New York: The Free Press, 1993).
Mayson, S. (1997), Making sense of law firms. Strategy, structure & ownership, London: Blackstone.
Mok, A.L. (1973), Beroepen in actie; bijdrage tot een beroepensociologie, Meppel: Boom.
Muijen, Jaap J. van (2003), Leiderschapsontwikkeling: het hanteren van paradoxen, Oratie Universiteit Nyenrode.

Nonaka, I. and H. Takeuchi (1995), The Knowledge-Creating Company: How Japanese Companies Create the Dynamics of Innovation, Oxford University Press.

Ohlotte, P.J., M.N. Ruderman and C.C. McCauley (1994), Gender differences in managers' developmental job experiences, Academy of Management Journal, 37, p. 46-67.
Oostrum, H.A.J. van (2002), Toevallige weetbaarheden. Een onderzoek naar integriteitsbewaking in advocatenkantoren, Den Haag: Boom Juridische uitgevers.
Otterlo, R.C.H. van en P.G.W. Jansen (2004), Managementontwikkeling binnen organisaties van professionals: competing for the top, Opleiding & Ontwikkeling, 10, p. 15-19.
Otterlo, R.C.H. van (2003), P&O-strategie. Human resource management in de praktijk, in: J.H. Dijkstra (red.), Rendement uit P&O, Amsterdam: WEKA uitgeverij.
Otterlo, R.C.H. van (2002), Human Resource Management in de advocatuur. Noodzaak of luxe?, Advocatenblad, 11, p. 474–477.
Otterlo, R.C.H. van (2000), De invloed van personeelsmanagement op de prestatie van ondernemingen. Een theoretisch-empirisch onderzoek naar de mate van succes van personeelsmanagement in traditionele bedrijven binnen de profit sector, Rotterdam: Chester Crewe Management Services.
Otterlo, R.C.H. van, en P.G.W. Jansen (2004), Managementontwikkeling binnen organisaties van professionals: competing for the top, Opleiding & Ontwikkeling, oktober.
Otterlo, R.C.H. van, en P.G.W. Jansen (2004), Gewiekst. Ouderwets kantoren-p&o op de helling, Personeelbeleid, 1, p. 22-26.
Otterlo, R.C.H. van, H.K.J.M. de Sonnaville en P.G.W. Jansen (2002), Advocatuur en organisatie. Komt het einde van de zelfstandig gevestigde advocaat in zicht?, Advocatenblad, 19, p. 848-852.

Parsons, T. (1939), The Professions and Social Structure, Social Forces (17), nr. 4, p. 457-467.
Piderit, S.K. (2000), Rethinking resistance and recognizing ambivalence: A multidimensional view of attitudes toward an organizational change, Academy of Management Review, vol. 25, nr. 4, p. 783-794.

Quant, L.H.A.J.M. (2003), De onafhankelijke advocaat, in: Introductie in de advocatuur, Nederlandse Orde van Advocaten, Beroepsopleiding, Den Haag: Boom Juridische uitgevers (8e druk).

Regt, B. van e.a. (2005), Ondernemerswijzer 2005/2006, Den Haag: SDU.
Rogers, E.M. (1962), Diffusion of Innovations, New York: The Free Press.
Rogers, E.M. and F.F. Schoemaker (1971), Communication of Innovations, New York: The Free Press.

Savage, Ch.M. (1996), 5th Generation Management. Co-creating Through Virtual Enterprising, Dynamic Teaming, and Knowledge Networking, Newton MA: Butterworth-Heinema.
Senge, P. (1990), The Fifth Discipline: The Art and Practice of the Learning Organization, New York: Currency Doubleday.
Stern, C.W. and G. Stalk (1998), Perspectives on Strategy from The Boston Consulting Group, New York: John Wiley & Sons.
Stoker, J.I. en T. de Korte (2001), Het onmisbare middenkader, Den Haag/Assen: Stichting Management Studies (SMS)/Van Gorcum.
Stolker, J.I. en N.J. Kolk (2003), Grip op leiderschap. Toegankelijke modellen en praktische inzichten, Deventer/Zaltbommel: Kluwer/INK.

Ulrich, Dave (1997), Human Resource Champions: The Next Agenda for Adding Value and Delivering Results, Boston: Harvard Business School Press.

Vademecum Advocatuur (2003), Deel II, Wet- & regelgeving.

Vloeberghs, Daniël (1997), Handboek human resource management. Managementcompetenties voor de 21e eeuw, Leuven/Amersfoort: Acco.
Vloeberghs, Daniël (2004), Human Resource Management. Fundamenten en perspectieven. Op weg naar de intelligente organisatie, Tielt: Lannoo (Lannoo Campus).

Weggeman, M. (1992), Leidinggeven aan professionals, Deventer: Kluwer.
Weggeman, M. (1997), Kennismanagement, inrichting en besturing van kennisintensieve organisaties, Management Consultant, nr. 3.
Weggeman, M. (1997), Kennismanagement. Inrichting en besturing van kennisintensieve organisaties, Schiedam: Scriptum.
Weggeman, M. (2000), Kennismanagement: de praktijk, Schiedam: Scriptum.
Wilensky, H.L. (1964), The professionalization of everyone?, American Journal of Sociology (70), p. 137-155.
Wijnen, G., W. Renes en P. Storm (2004), Projectmatig werken, Utrecht: Het Spectrum.